rororo sport
Herausgegeben von Bernd Gottwald

Joe Kita (Hg.)

SPORT-VERLETZUNGEN

• Erkennen • Behandeln • Vorbeugen

ROWOHLT TASCHENBUCH VERLAG

Deutsche Erstausgabe
Aus dem Englischen von Margarete Tesch
Veröffentlicht im Rowohlt Taschenbuch Verlag, Reinbek bei Hamburg, Februar 2006
Copyright der deutschen Ausgabe: © 2006 by Rowohlt Verlag GmbH
Copyright © 2005 Rodale Inc.
Fotos im Innenteil: Comstock: 23; Eyewire: 30, 39, 53; John Hamel/Rodale Image Library:
6, 7, 79, 90; Image Source: 10; Michael Mazzeo: 18, 19, 20, 21, 22, 31, 32, 33, 34, 35, 36,
37, 38, 45, 46, 47, 48, 49, 50, 51, 52, 59, 60, 61, 62, 63, 64, 65, 66, 91, 92, 93, 94;
Photodisc: 11; Primal Pictures: 12, 16, 24, 29, 40, 43, 54, 57, 68, 70, 71, 72, 73, 74, 75,
76, 77, 78, 80, 81, 83, 85, 86, 88; Rodale Image Library: 17; Sally Ullman/Rodale Image: 67;
Kurt Wilson/Rodale Image Library: 7.
Umschlaggestaltung any.way, Andreas Pufal
Foto: Kristiane Vey/Jump
Men's Health ist ein eingetragenes Warenzeichen von Rodale Inc.
Druck und Bindung CPI, Bath
Printed in Great Britain
ISBN 13: 978 3 499 61072 1
ISBN 10: 3 499 61072 8

Inhalt

Fit fürs Spiel: Um eine Sportverletzung auszukurieren, braucht man ein wenig Geduld und viel Know-how.

EINLEITUNG

Was war denn *das*? Wie oft sind Sie schon gelaufen, haben Gewichte gestemmt oder Fußball gespielt, als Sie das gefürchtete Geräusch gehört haben? Den leichten Knall. Das Knirschen. Das Empfinden, als wäre etwas in Ihrem Knie, der Schulter oder dem Knöchel gerissen. Vor dem Schmerz ist die Angst da. Während Sie das geschwollene Gelenk kühlen, fragen Sie sich: Wie ist das bloß passiert? Was wird mir der Arzt sagen? Wie kann ich das in Zukunft verhindern?

Dieses Buch beantwortet diese Fragen und bietet von Profis entwickelte Workout-Programme, die Ihnen helfen, nach einer Verletzung wieder Kraft und Beweglichkeit aufzubauen. Es enthält auch medizinische Ratschläge von Fachleuten und Übungen, mit denen Sie *auf unbedenkliche Weise* Ihren alten Fitness-Stand vor der Verletzung wieder erreichen, ohne Ihre Knochen, Gelenke und Muskeln während der Heilung zu belasten. Wenn Sie keine akute Sportverletzung haben, nutzen Sie die Übungen und Tipps zur Vorbeugung, um sich vor zukünftigen Verletzungen zu schützen.

Ist Ihr Training schuld?

Nicht nur der Zusammenstoß auf dem Spielfeld oder die unglückliche

Landung nach einem Sprung kann dazu führen, dass Sie auf die Bank humpeln. Ein unausgewogenes oder übertriebenes Training bestimmter Muskelgruppen unter Vernachlässigung anderer macht Sie ebenfalls für Sportverletzungen anfällig.

Übertriebenes Training ist die sicherste Methode, um beim Arzt zu landen, denn eine zu große Anstrengung ermüdet die Muskeln. Müde Muskeln machen die Sehnen müde, die die Muskeln an den Knochen befestigen. Die Sehnen schwellen an, und wenn Sie trotz des Schmerzes weitertrainieren, kann es an den Sehnen zu Narbenbildungen kommen. Ein dumpfer Schmerz beim Training kann auf eine Überbeanspruchung Ihrer Muskeln und Sehnen hindeuten. Letztlich wird es teuer für Sie,

wenn Sie Ihren Körper zu hart fordern. Ein übertriebenes Training verhindern Sie mit der 10-Prozent-Regel: Erhöhen Sie Ihre Laufstrecke, Ihre Laufgeschwindigkeit oder die Gewichte, die Sie heben, nicht um mehr als 10 Prozent in der Woche. So können sich Ihre Sehnen, Muskeln und Knochen an die neue Arbeitslast anpassen.

Wie Sie dieses Buch benutzen

In den einzelnen Abschnitten werden die häufigsten Sportverletzungen dargestellt, von den Füßen bis zu den Händen, vom Rücken bis zu den Schultern. Sie erfahren, woran man die Verletzung erkennt, wie sie vermutlich entstanden ist, wie man sie behandelt und einer wiederholten Verletzung vorbeugt.

VERLETZUNGEN NACH DER PECH-REGEL BEHANDELN

Durch Schmerzen und Schwellungen teilt Ihnen Ihr Körper mit, dass etwas nicht stimmt. Sie können die Heilung unterstützen und Verschlimmerungen vorbeugen, wenn Sie wissen, was man tun muss. Die beste Regel im Umgang mit fast jeder Sportverletzung ist die **PECH**-Regel. PECH steht für **P**ausieren, **E**isbeutel, **C**ompression und **H**ochlagern.

Was bedeutet *Pausieren*? Gewöhnlich bedeutet es, die Aktivität einzustellen, bei der Sie sich verletzt haben. Wenn sich Ihr Knöchel schwarz und blau verfärbt und auf Fußballgröße anschwillt, sollten Sie auf dem Bein nicht auftreten. Nehmen Sie Krücken oder einen Stock. Bei einer kleinen Verstauchung sollten Sie den Knöchel leicht bewegen und etwas belasten, um ihn zu testen. Gewöhnlich wird der Körper eine Verletzung «ruhig stellen» und die betroffene Stelle gegebenenfalls unbeweglich machen. Versuchen Sie, ein verletztes Gelenk zu bewegen. Lässt es sich nicht bewegen oder ist der Schmerz unerträglich, dann teilt Ihnen der Körper mit, dass Sie es in Ruhe lassen und schnellstmöglich einen Arzt aufsuchen sollten.

In den ersten ein bis zwei Tagen sollten Sie die Schwellung bis zum Abklingen alle vier bis sechs Stunden zwanzig Minuten lang mit *Eis* kühlen. Schützen Sie Ihre Haut vor Erfrierungen, indem Sie das Eis in ein Handtuch wickeln.

Kompression bedeutet Druck, um die Schwellung einzudämmen, gewöhnlich mit Hilfe eines Tape-Verbands oder einer Bandage. Mitunter geht es ganz einfach. Ziehen Sie beispielsweise bei einer Knöchelverstauchung nicht sofort den Schuh aus. Der Druck, für den der Schuh sorgt, dämmt die Schwellung ein, bis Sie einen Eisbeutel auflegen können.

Die **Hochlagerung** des verletzten Körperteils über Herzhöhe lindert den Schmerz und die Schwellung, weil sich an der verletzten Stelle kein Erguss bilden kann.

Anschließend können Sie sich die von Fachleuten entwickelten Workouts anschauen, bei denen Sie Übungen finden, mit deren Hilfe Sie bei bestehenden Verletzungen wieder fit werden und den betroffenen Körperteil so kräftigen, dass Sie sich zukünftig nicht mehr verletzen.

Aufwärmen vor dem Training

Beginnen Sie niemals voll zu trainieren, bevor Sie sich aufgewärmt haben und leicht schwitzen. Damit fahren Sie die Betriebstemperatur Ihres Körpers weit genug hoch, um die Sehnen und Bänder geschmeidig zu machen. Sie stellen auch sicher, dass das Knorpelgewebe – und die Knochen, die es schützt – gut geschmiert ist. Dehnübungen dienen der Verbesserung der Beweglichkeit. Doch Dehnübungen direkt vor dem Training oder Spiel sind nicht unbedingt eine effektive Methode, um Verletzungen vorzubeugen. Wärmen Sie sich vor dem Spiel oder Gewichtstraining lieber mit Hilfe eines leichten 5- bis 10-minütigen Herz-Kreislauf-Trainings auf, wie Joggen oder Radfahren. Dehnen Sie sich nach der Aufwärmphase und nach dem Spiel, wenn Ihre Muskeln und Sehnen geschmeidiger sind.

Ein ausgewogenes Programm

Jedes Trainingsprogramm muss ausgewogen sein. Das ist besonders wichtig nach Sportverletzungen und kann den Unterschied zwischen einer raschen und sicheren Rückkehr zum Spiel oder einer verlängerten Auszeit bedeuten.

Blättern Sie alle Abschnitte dieses Buches durch und finden Sie heraus, welche Workouts am besten auf die Knochen, Muskeln und Gelenke abzielen, an denen Sie sich verletzt haben. Lesen Sie sich danach die Einleitungen zu den Workouts und die Übungsbeschreibungen durch, um festzustellen, ob die Anforderungen Ihrem Fitness-Stand entsprechen. Es könnten Übungen darunter sein, die sich aufgrund Ihrer Verletzung nicht für Sie eignen.

Achten Sie auf die für jede Verletzung empfohlenen Beweglichkeits- und Kräftigungsübungen – oft werden Sie auf bestimmte Übungen zur Vorbeugung oder ein komplettes Workout-Programm hingewiesen. Haben Sie Bedenken wegen verletzungsbedingter Einschränkungen, fragen Sie Ihren Arzt, bevor Sie mit irgendeinem der Trainingsprogramme in diesem Buch beginnen.

Bleiben Sie verletzungsfrei

Trainieren Sie jeden zweiten Tag dreimal die Woche vier bis sechs Wochen lang. Vor dem Training mit Gewichten wärmen Sie sich mit einem 5- bis 10-minütigen leichten Herz-Kreislauf-Training auf. Führen Sie danach die Beweglichkeits- und Kräftigungsübungen wie angegeben durch. Machen Sie eine Pause von 30 Sekunden bis zu 1 Minute zwischen den Übungssets und beim Wechsel zwischen den Übungen. Bei einem Training mit höheren Gewichten und weniger Wiederholungen brauchen Sie vielleicht längere Pausen. Machen Sie an den Tagen, an denen Sie keine Gewichte heben, bis zu 45 Minuten leichte Aerobic-Übungen.

Denken Sie beim Trainieren daran, dass alle Übungssets, Wiederholungen und Gewichte empfohlene Richtwerte sind, die Sie vielleicht erst erreichen müssen. Obwohl alle Übungen medizinisch unbedenklich sind, sollten Sie beim Trainieren mit Gewichten *immer* auf Ihren Körper hören und beim Gewichtheben oder einer Dehnung nie bis zur Schmerzgrenze gehen.

Der Umgang mit Schmerzen

Bei vielen kleineren Verletzungen helfen rezeptfreie Schmerzmittel, wie Ibuprofen oder Paracetamol. Gehen Sie bei Schmerzen und Schwellungen auch nach der PECH-Regel vor (siehe S. 8).

Genesung ist ein Balanceakt: Finden Sie die richtige Mischung aus Beweglichkeits- und Krafttraining heraus, lernen Sie den Unterschied zwischen Sichfordern und Sichüberfordern. Ein übermäßiges Training wirft Sie wieder auf die Bank zurück.

Wieder fit fürs Spiel

Die erste Regel zum Gesundwerden lautet, es locker anzugehen. Überhasten Sie nichts, besonders wenn Sie eine Operation wegen gerissener Bänder und Sehnen hinter sich haben. Ihre Ziele sollten sein:

1. die Wiederherstellung des Bewegungsumfangs des verletzten Gelenks. Ohne Bewegung kein Spiel.
2. die Wiederherstellung der Beweglichkeit mit Hilfe von täglichen Dehnübungen, um die Heilung zu beschleunigen und den Schmerz zu lindern.
3. die Wiederherstellung von Kraft und Ausdauer durch allmähliche Steigerung Ihres Trainingsprogramms. Machen Sie Crosstraining für Ihre Grundfitness und spezielle Übungen für Ihre Sportart, um den Körper auf die Rückkehr vorzubereiten.
4. die Wiederherstellung von Gleichgewicht und Koordination. Übungen wie auf einem Bein stehen mit geschlossenen Augen helfen Ihrem Gehirn, das frisch geheilte Bein wieder einzusetzen.

Das letztliche Ziel besteht natürlich darin, Ihre alte Fitness vor der Verletzung zu erreichen. Das kann je nach Verletzung einige Tage oder mehrere Monate dauern.

Fuß-, Knöchel- und Unter-
schenkelverletzungen

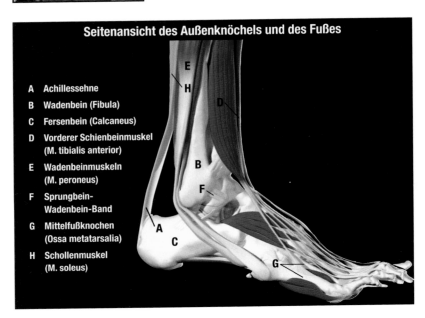

Seitenansicht des Außenknöchels und des Fußes

A   Achillessehne

B   Wadenbein (Fibula)

C   Fersenbein (Calcaneus)

D   Vorderer Schienbeinmuskel
    (M. tibialis anterior)

E   Wadenbeinmuskeln
    (M. peroneus)

F   Sprungbein-
    Wadenbein-Band

G   Mittelfußknochen
    (Ossa metatarsalia)

H   Schollenmuskel
    (M. soleus)

Ihre Füße und Fußgelenke sind so eingerichtet, dass sie Ihr Körpergewicht den ganzen Tag bequem tragen, und meistens tun sie das klaglos. Lange Läufe auf Asphalt oder plötzliche Bewegungen auf dem Spielfeld können jedoch zu Zerrungen oder Überlastungsbrüchen führen, die Sie wochen- oder sogar monatelang außer Gefecht setzen. Die meisten Menschen nehmen sich nicht die Zeit, die Muskeln und Sehnen in diesem Bereich vor jedem Training oder Spiel gut zu dehnen und aufzuwärmen. Andere machen sich nicht die Mühe, passende Schuhe zu kaufen. Wenn Sie dazu gehören, sind Fußprobleme vorprogrammiert. Es folgen die wichtigsten Sportverletzungen im Fuß-, Knöchel- und Unterschenkelbereich.

GEZERRTE ODER GERISSENE ACHILLESSEHNE

Woran Sie es merken

Sie hören einen leisen Knall in der schnurartigen Achillessehne hinter dem Knöchel, gefolgt von Schmerzen und einer Schwellung. Mitunter zeigt sich die Verletzung erst am Tag nach dem Training. Das Laufen fällt schwer. Eventuell können Sie nicht schmerzfrei in den Zehenstand gehen.

Wie es dazu kommt

Sie sind plötzlich losgesprintet oder bergauf gelaufen. Vielleicht sind Ihre Wadenmuskeln hart und unelastisch.

Wie man es behandelt

Lindern Sie die Schmerzen und die Schwellung laut PECH-Regel (siehe S. 8). Eventuell brauchen Sie während der Heilung Krücken oder Ferseneinlagen zur Druckentlastung der Achillessehne. Tragen Sie die Einlagen unbedingt beidseitig, um Rückenprobleme zu vermeiden. Bei einem kompletten Achillessehnenriss muss operiert werden.

Wie man vorbeugt

Auch wenn Sie nicht täglich trainieren, sollten Sie mit den Dehnübungen auf S. 18–19 an der Beweglichkeit der Wadenmuskeln und der Achillessehne arbeiten.

FERSENSCHMERZ

Woran Sie es merken

Eine Entzündung der Fußsohlensehne, die so genannte Plantarfasziitis, erzeugt Schmerzen unter dem Fuß an der Ferse oder in Fersennähe, die bis in den Spann ausstrahlen. Sie können morgens und bei langen Läufen stärker sein.

Wie es dazu kommt

Die Fußsohlensehne hat sich verhärtet, weil Sie ohne gründliche Dehnung gelaufen sind oder einen sehr hohen Spann haben.

Was der Arzt sagt

Dehnübungen für die Achilles- und Fußsohlensehne (siehe S. 18–19), machen diese mit der Zeit elastischer. Bei starken Schmerzen sollten Sie Einlagen probieren.

Wie man vorbeugt

Dehnen Sie. Achten Sie auf eine gute Passform der Schuhe. Wechseln Sie die Schuhe regelmäßig nach 650 bis 800 Kilometern.

VERSTAUCHTER KNÖCHEL

Woran Sie es merken

Im Augenblick der Verletzung kann ein Knacken zu hören sein. Es folgen Schmerzen mit einer Schwellung oder einem Bluterguss um den Knöchel.

Wie es dazu kommt

Es kann sich um einen Riss an einem oder sämtlichen Bändern handeln, die dem Außenknöchel Stabilität geben.

Wie man es behandelt

Bekämpfen Sie die Schwellung laut PECH-Regel. Versuchen Sie auch, den Knöchel leicht zu bewegen. Eine stärkere Durchblutung fördert die Heilung und lindert die Schmerzen. Drehen Sie den Knöchel dazu behutsam hin und her. Lässt er sich nicht oder nur unter starken Schmerzen bewegen, könnte ein Bruch vorliegen, und es wird Zeit fürs Krankenhaus. Andernfalls gehen Sie einige Tage nach der PECH-Regel vor und nehmen Sie Medikamente. Bandagieren Sie den Knöchel, um ihn zu stützen, bis die gezerrten Bänder geheilt sind.

Wie man vorbeugt

Üben Sie nicht auf unebenem, rutschigem Untergrund und trainieren Sie möglichst nicht auf grasigem, felsigem oder sandigem Gelände. Tragen Sie eine Knöchelbandage.

SENKFÜSSE UND MITTELFUSSSCHMERZ

Senk- bzw. Plattfüße – das Gegenteil eines hohen Spanns – können sich im Laufe der Zeit oder als Folge einer unvollständigen Ausbildung des Fußgewölbes entwickeln und zu Schmerzen um den Innenknöchel herum führen. Bei zu langen Läufen wird die hintere Schienbeinsehne gereizt, was Schmerzen und Schwellungen zur Folge hat. Lindern Sie die Schmerzen laut PECH-Regel und beugen Sie weiteren Verletzungen durch orthopädische Einlagen vor.

Wenn der Schmerz vorne am Fuß statt am Spann auftritt, spricht man auch von einer Metatarsalgie, einer Mittelfußknochenentzündung aufgrund von Überlastung. Sie tritt oft als Folge zu enger Joggingschuhe oder eines ungewöhnlich hohen Spanns auf. Bei einem hohen Spann brauchen Sie möglicherweise Einlagen.

KNÖCHELFRAKTUR

Woran Sie es merken

Ein Knirschen im Knöchel kann der erste Hinweis darauf sein, dass mehr als eine Verstauchung vorliegt. Das Geräusch wird von starken Schmerzen sowie Schwellungen und Einblutungen unter der Haut begleitet. Sie können nicht stehen.

Wie es dazu kommt

Die beiden Unterschenkelknochen sind am Übergang zum Fuß gebrochen. Aufgrund der vielen möglichen Brüche sollte ein Arzt die Diagnose stellen. Je nach Kompliziertheit des Bruchs sind Sie sechs Wochen bis drei Monate außer Gefecht.

Wie man es behandelt

Nach dem Röntgen bekommen Sie Gips und Krücken, eine Schiene oder einen Gehapparat. Unter Umständen muss operiert werden.

Wie man vorbeugt

Die einzige Möglichkeit ist, beim Spielen aufzupassen.

ÜBERLASTUNGSFRAKTUREN DES FUSSES

Woran Sie es merken

In den Mittelfußknochen – den langen Knochen, die durch den Fuß bis zu den Zehen laufen –, treten Schwellungen und starke Schmerzen auf. Der Schmerz kann sich wie bei einer Sehnenscheidenentzündung überall ausbreiten oder sich auf einen Punkt konzentrieren.

Wie es dazu kommt

Haarrisse in den Fußknochen sind überlastungsbedingte Verletzungen, die häufig von zu weitem, zu schnellem oder zu häufigem Laufen verursacht werden oder davon, dass die Laufschuhe nicht regelmäßig erneuert werden. Bei einer raschen Erhöhung der Laufstrecke oder Laufen auf hartem Untergrund, sind die Fußknochen stärkeren Stößen ausgesetzt und verschleißen. Überlastungsfrakturen sind das Ergebnis.

Wie man es behandelt

Diese Verletzung ist auf dem Röntgenbild nicht immer sichtbar. Sie können zur Abklärung eine Kernspintomographie (MRT) machen lassen oder die Verletzung bis zum Abklingen der Schmerzen als Überlastungsfraktur behandeln. Bekämpfen Sie den Schmerz und die Schwellung laut PECH-Regel. Der Schwerpunkt sollte auf *Pausieren* liegen, damit die Knochen sich regenerieren können. Wenn Sie Ihr Lauftraining wieder aufnehmen, steigern Sie die Strecke langsam – um 10 Prozent in der Woche –, um ein erneutes Auftreten der Verletzung zu vermeiden. Versuchen Sie auch, auf weichem Boden zu laufen, wie weichen, ungeteerten Wegen oder auch auf Gras.

Wie man vorbeugt

Tragen Sie Sportschuhe mit guter Stoßdämpfung. Bauen Sie Ihre Laufstrecke und die Dauer Ihres Trainings langsam und stetig auf.

ENTZÜNDUNG DER WADENBEINSEHNE

Woran Sie es merken

Sie haben Schmerzen und eine Schwellung im Knöchelbereich entlang der Wadenbeinsehnen. Möglicherweise haben Sie bei der Verletzung einen leisen Knall gehört.

Wie es dazu kommt

Sie haben den Außenknöchel überstrapaziert oder den Knöchel nach innen geknickt. Ein Riss oder eine Zerrung der Sehne am Außenknöchel ist die Folge.

Wie man es behandelt

Lindern Sie die Schwellung mit Hilfe der PECH-Regel. Vor dem Workout sollten Sie die Knöchel zum Erhalt der Elastizität und Mobilität unbedingt mit schmerzfreien Beweglichkeitsübungen aufwärmen (siehe S. 19 – 22). Physiotherapie kann die Muskulatur im Knöchelbereich kräftigen. Ein vorübergehender Stützverband zur Ruhigstellung der Sehne ist hilfreich.

VERSTAUCHUNG DES OBEREN SPRUNGGELENKS

Eine Verstauchung des oberen Sprunggelenks gleicht einer gewöhnlichen Verstauchung, nur dass Sie auf den Zehen gelandet und mit dem Fuß voll umgeknickt sind. Dadurch werden die beiden Unterschenkelknochen (Schienbein und Wadenbein) getrennt und die dazwischen liegenden Bänder gezerrt. Sie haben Schwierigkeiten beim Gehen; die Schmerzen ziehen bis ins Schienbein hinauf. Die Heilung dauert sehr viel länger als bei einem verstauchten Knöchel und hat oft eine längere Immobilität zur Folge.

Seitenansicht der Wade, des Innenknöchels und des Fußes

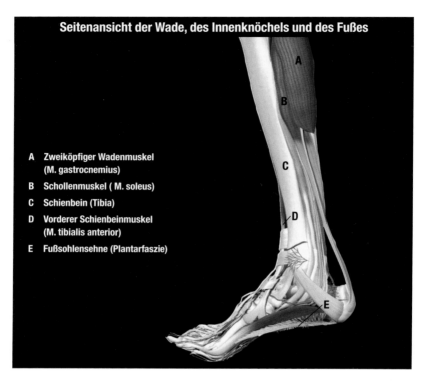

A   Zweiköpfiger Wadenmuskel
(M. gastrocnemius)

B   Schollenmuskel (M. soleus)

C   Schienbein (Tibia)

D   Vorderer Schienbeinmuskel
(M. tibialis anterior)

E   Fußsohlensehne (Plantarfaszie)

Wie man vorbeugt

Dehnen und kräftigen Sie Ihre Knöchelgelenke und Muskeln mit den Übungen auf S. 18 – 22.

LÄUFERBEIN

Woran Sie es merken

Der Begriff *Läuferbein-* oder *Schienbeinkantensyndrom* beschreibt die Schmerzen auf der Vorderseite des Unterschenkels. Das Läuferbein geht mit einer Entzündung des Gewebes einher, welches das Schienbein umgibt. Sie haben starke Schmerzen an der Innenkante des Scheinbeins, die entlang des Knochens oder in den umliegenden Muskeln lokalisiert sind.

Wie es dazu kommt

Es handelt sich um eine überlastungsbedingte Verletzung des Knochens oder der Muskeln. Zu viel Joggen auf hartem Untergrund mit Senk- bzw. Plattfüßen könnte die Ursache sein.

Wie man es behandelt

Die Lokalisation des Schmerzes gibt Auskunft über die Art der Verletzung. Schmerzen entlang des Schienbeins können auf eine beginnende Überlastungsfraktur hindeuten. Macht sich der Schmerz an der Innenkante des Schienbeins bemerkbar, leiden Sie vermutlich an einem Läuferbein. Bei Schmerzen und Verhärtungen am fleischigen Teil des Schienbeins direkt neben dem Knochen kann es sich um das so genannte Kompartmentsyndrom handeln – ein Anschwellen der Muskeln am Schienbein, die sich beim Laufen verhärten. Lindern Sie die Schmerzen und die Schwellung mit Hilfe der PECH-Regel. Trainieren Sie weniger intensiv und häufig, um einer Verschlimmerung vorzubeugen.

Wie man vorbeugt

Läufer mit einer Überpronation – die mit der Innenkante des Fußes aufsetzen – sind anfällig für Schienbeinverletzungen. Mit Hilfe orthopädischer Einlagen können Sie den Winkel korrigieren, in dem Ihr Fuß auf dem Boden aufkommt.

WADENZERRUNG
Woran Sie es merken

Sie hören ein lautes Knacken und haben plötzlich einsetzende Wadenschmerzen. Mitunter spüren Sie auch nur einen leichten Stich, gefolgt von Schmerzen, einer Schwellung und einem Bluterguss.

Wie es dazu kommt

Die Muskeln hinten am Bein wurden über ihre Belastungsgrenze hinaus gedehnt. Ruckartige Bewegungen auf dem Tennisplatz oder beim Werfen beim American Football können die Wadenmuskulatur zu einer plötzlichen Dehnung zwingen. Wenn sie darauf nicht vorbereitet sind, kommt es zum Riss.

Wie man es behandelt

Wenden Sie die PECH-Regel an und besorgen Sie sich nichtsteroidale Schmerzmedikamente und gegebenenfalls Krücken.

Wie man vorbeugt

Wärmen Sie die Beine mit 5- bis 10-minütigem Radfahren auf dem Ergometer auf. Anschließend lockern Sie Ihre Muskeln mit den Dehnübungen auf S. 18–19.

DER TEST MIT DEM NASSEN FUSSABDRUCK

Feuchten Sie Ihre Fußsohle an, treten Sie auf einen ebenen Untergrund und betrachten Sie den Fußabdruck. Ist keine Wölbung vorhanden, rollen Ihre Füße zu weit nach innen ab (Überpronation), was zu Sehnenentzündungen führen kann. Bei einem zu hohen Spann landet das Gewicht auf der Außenkante des Fußes und macht Sie anfällig für Knöchelverstauchungen und Überlastungsfrakturen.

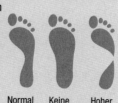

Normal   Keine Wölbung   Hoher Spann

Fuß-, Knöchel- und Unterschenkel-Workout

Die Schwellung ist abgeklungen, die Blutergüsse sind geheilt, und Sie können die Krücken und Bandagen endlich beiseite legen. Wenn Sie wieder
aktiv werden und es bleiben wollen, hilft das folgende Workout Ihnen, auf
medizinisch unbedenkliche Weise Kraft und Beweglichkeit in der Fuß-,
Knöchel- und Unterschenkelmuskulatur zu entwickeln. Wärmen Sie sich
5 – 10 Minuten mit einer leichten Aerobic-Übung auf, dann führen Sie
die Kräftigungs- und Konditionsübungen wie angegeben durch. Betrachten
Sie die empfohlenen Sets, Wiederholungen und Gewichte als Richtwerte –
konzentrieren Sie sich darauf, jede Wiederholung technisch präzise durchzuführen, um einen maximalen Kraftgewinn und ein minimales Risiko zu
haben, Ihre Gelenke und Muskeln in der Heilungsphase über Gebühr zu
belasten.

WADENDEHNUNG
Ziel: M. gastrocnemius, Fußsohlensehne

Legen Sie die Hände auf eine Wand;
die Beine sind schulterbreit gegrätscht. Stellen Sie das linke Bein
gestreckt nach hinten und beugen Sie
leicht das rechte Knie. Während Ihr
linkes Bein gestreckt und die Ferse
auf dem Boden bleibt, neigen Sie sich
nach vorn, bis Sie eine Dehnung in
der linken Wade spüren. Halten Sie
die Position 5 tiefe Atemzüge oder
20 – 30 Sekunden lang. Führen Sie
mit jedem Bein zwei Sets durch.

DEHNUNG DES SCHOLLENMUSKELS

Ziel: M. soleus, Fußsohlensehne

Legen Sie die Hände auf eine Wand; die Beine sind schulterbreit gegrätscht. Mit leicht gebeugtem rechtem Knie stellen Sie das linke Bein so nach hinten, dass die linke Fußspitze auf einer Höhe mit der Ferse Ihres rechten Fußes ist. Gehen Sie leicht in die Knie, bis Sie eine Dehnung in der unteren Wade des linken Beins spüren. Halten Sie die Position 5 tiefe Atemzüge oder 20 – 30 Sekunden lang. Führen Sie mit jedem Bein zwei Sets durch.

DORSALFLEXION – ANZIEHEN DES FUSSES

Ziel: Vorderer Schienbeinmuskel

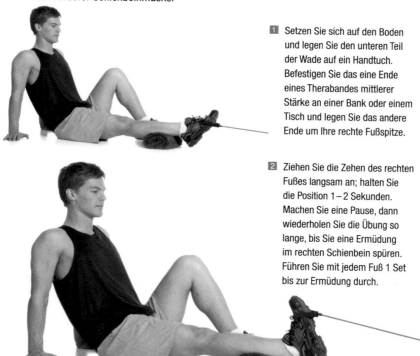

1 Setzen Sie sich auf den Boden und legen Sie den unteren Teil der Wade auf ein Handtuch. Befestigen Sie das eine Ende eines Therabandes mittlerer Stärke an einer Bank oder einem Tisch und legen Sie das andere Ende um Ihre rechte Fußspitze.

2 Ziehen Sie die Zehen des rechten Fußes langsam an; halten Sie die Position 1 – 2 Sekunden. Machen Sie eine Pause, dann wiederholen Sie die Übung so lange, bis Sie eine Ermüdung im rechten Schienbein spüren. Führen Sie mit jedem Fuß 1 Set bis zur Ermüdung durch.

PLANTARFLEXION – BEUGUNG DES FUSSES

Ziel: M. gastrocnemius

1 Setzen Sie sich auf den Boden und legen Sie den unteren Teil der Wade auf ein Handtuch. Schlingen Sie das Theraband um die rechte Fußspitze; halten Sie die losen Enden fest in beiden Händen.

2 Strecken Sie den rechten Fuß nach hinten und halten Sie die Position 1–2 Sekunden lang. Machen Sie eine Pause, dann wiederholen Sie die Übung, bis Sie eine Ermüdung in der Wade spüren. Führen Sie mit jedem Fuß 1 Set bis zur Ermüdung durch.

INVERSION – INNENDREHUNG

Ziel: Vorderer Schienbeinmuskel, hinterer Schienbeinmuskel

1 Setzen Sie sich auf den Boden und legen Sie den unteren Teil der Wade auf ein Handtuch. Befestigen Sie das eine Ende Ihres Therabandes an einer Bank oder einem Tisch und legen Sie das andere Ende um Ihre rechte Fußspitze.

2 Drehen Sie den rechten Fuß langsam nach innen und halten Sie die Position 1–2 Sekunden lang. Machen Sie eine Pause; dann wiederholen Sie die Übung, bis Sie eine Ermüdung entlang Ihres rechten Schienbeins spüren. Führen Sie mit jedem Fuß 1 Set bis zur Ermüdung durch.

EVERSION – AUSSENDREHUNG

Ziel: Wadenmuskulatur

1 Legen Sie den unteren Teil der Wade auf ein Handtuch. Befestigen Sie das eine Ende des Therabandes an einer Bank oder einem Tisch und schlingen Sie das andere Ende um die Spitze Ihres rechten Fußes. Kippen Sie den rechten Fuß leicht nach innen.

2 Drehen Sie den rechten Fuß langsam nach außen und halten Sie die Position 1 – 2 Sekunden lang. Machen Sie eine Pause, dann wiederholen Sie die Übung, bis Sie eine Ermüdung entlang der Außenkante spüren. Machen Sie mit jedem Fuß 1 Set bis zur Ermüdung.

SITZALPHABET

Ziel: Vorderer Schienbeinmuskel, Wadenbeinmuskeln, hinterer Schienbeinmuskel

1 Setzen Sie sich mit ausgestelltem linkem Bein auf eine Bank oder einen Gymnastikball; das Knie ist leicht angewinkelt.

2 Bei leicht angewinkeltem linkem Knie schreiben Sie mit Ihrem linken Fuß langsam und in großen Bewegungen die kleinen Buchstaben des Alphabets. Führen Sie mit jedem Fuß 2 Sets des Alphabets durch.

AUF EINEM BEIN STEHEN Mit HÜFTKREISEN

Ziel: Vorderer Schienbeinmuskel, Wadenmuskeln, M. gastrocnemius, hinterer Schienbeinmuskel; Hüftbeuger, Abduktoren, Gesäß, hintere Oberschenkelmuskulatur

1 Stellen Sie sich auf das linke Bein und versuchen Sie, das Gleichgewicht zu halten. Wenn Sie eine Verletzung haben, üben Sie zuerst mit dem gesunden Bein. Wenn Sie Ihren verletzten Knöchel nur eingeschränkt belasten dürfen, fragen Sie Ihren Arzt.

2 Legen Sie die Hände auf die Hüften, richten Sie den Blick geradeaus und strecken Sie den rechten Fuß nach vorn.

3 Strecken Sie das rechte Bein zur Seite und führen Sie langsam eine vollständige Hüftkreisung durch.

4 Führen Sie mit jedem Bein 2 Sets mit 10 Kreisen (5 im Uhrzeigersinn und 5 gegen den Uhrzeigersinn) durch.

Kniebeschwerden

Frontalansicht des Knies

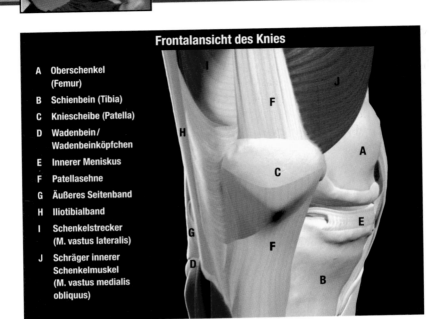

A   Oberschenkel (Femur)

B   Schienbein (Tibia)

C   Kniescheibe (Patella)

D   Wadenbein / Wadenbeinköpfchen

E   Innerer Meniskus

F   Patellasehne

G   Äußeres Seitenband

H   Iliotibialband

I   Schenkelstrecker (M. vastus lateralis)

J   Schräger innerer Schenkelmuskel (M. vastus medialis obliquus)

Ihr Knie ist eine geniale Konstruktion. Ein äußeres Seitenband und ein weiteres Band auf der Innenseite verbinden den Oberschenkel mit den Unterschenkelknochen. Zwei zusätzliche Bänder (das vordere und das hintere Kreuzband) überkreuzen sich im Knie, um dem Gelenk in sich Halt zu geben. Zusätzlich dient der Knorpel im Knie als Stoßdämpfer. Wenn Sie Ihre Muskeln im Kniebereich stark und elastisch halten, können Sie Verletzungsrisiken reduzieren, die Sie für die verbleibende Saison außer Gefecht setzen.

ILIOTIBIALBAND-SYNDROM

Woran Sie es merken

Sie spüren einen undifferenzierten Schmerz auf der Außenseite des Knies. Er ist verbreitet unter Läufern und Radfahrern. Der Schmerz nimmt zu beim Bergablaufen oder Treppenhinuntergehen. Wenn Sie mit steifen Beinen gehen, verschwindet er.

Wie es dazu kommt

Das Iliotibialband ist ein massives, aus Muskeln und Sehnen bestehendes Band, das sich vom Becken bis zum Knie erstreckt. Am unteren Ende des Oberschenkelknochens legt sich das IT-Band um den Knieschleimbeutel – ein mit Flüssigkeit gefülltes Kissen, das den Knochen schützt. Wenn Sie zu lange laufen oder Rad fahren, schwillt der Schleimbeutel an und reibt gegen den Knochen.

Wie man es behandelt

Mit Hilfe der PECH-Regel (siehe S. 8) lindern Sie die Schmerzen und die Schwellung. Führen Sie für eine bessere Geschmeidigkeit des Iliotibialbandes die Dehnübungen auf S. 32 – 33 durch und danach die Übungen auf S. 49 – 50 zur Kräftigung der äußeren Oberschenkelmuskulatur.

Wie man vorbeugt

Die meisten Straßen sind leicht gewölbt, sprich uneben, was beim Laufen zu Verletzungen des Iliotibialbandes führen kann. Wo es gefahrlos möglich ist, sollten Sie zum Ausgleich abwechselnd mit und gegen den Verkehr joggen.

FEMURO-PATELLARES SCHMERZSYNDROM

Woran Sie es merken

Sie haben pochende Schmerzen hinter der Kniescheibe nach dem Laufen (und manchmal während des Laufens), wenn Sie aus der Hocke hochkommen, einen Ausfallschritt machen oder längere Zeit gesessen haben.

Wie es dazu kommt

Die Kniescheibe gleitet beim Gehen oder Joggen rhythmisch auf und ab. Bei häufigem Laufen in schlechter Form kann die Kniescheibe verrutschen, wodurch der dahinter liegende schützende Knorpel abgerieben wird. Ursache können Senk- bzw. Plattfüße, eine muskuläre Dysbalance oder übertriebenes Training sein. Je stärker die Muskeln in den Knien ermüden, desto weniger können sie für ein

reibungsloses Zusammenspiel aller Komponenten sorgen.

Wie man es behandelt

Kühlen Sie zur Linderung der Schmerzen den Bereich um das Knie herum und treten Sie kürzer. Wenn Sie nicht zurückstecken, können die Beschwerden zur Chondromalazie führen, bei der der Knorpel durch die Reibung abgenutzt wird. Machen Sie während Heilung einige Wochen lang ein Crosstraining.

Wie man vorbeugt

Vermeiden Sie Hocken, Ausfallschritte und die Beinstrecker-Maschine im Fitness-Studio. Erhöhen Sie Ihre Beweglichkeit mit den Dehnübungen auf S. 32 – 33. Stärken Sie Ihre Beinmuskulatur mit den Übungen auf S. 33 – 34.

LÄUFERKNIE

Woran Sie es merken

Eine Patellasehnenentzündung, auch Läuferknie genannt, erzeugt Schmerzen vorne im Knie unterhalb der Kniescheibe, wenn Sie in die Hocke gehen, laufen, sich hinknien und springen.

Wie es dazu kommt

Beim Landen nach dem Sprung wird das Körpergewicht häufig von den Knien und den Sehnen abgefangen. Mit der Zeit entzündet sich die Patellasehne, die die Kniescheibe mit dem Schienbein verbindet. Eine Schwellung ist die Folge.

Wie man es behandelt

Lindern Sie den Schmerz und die Schwellung am Knie mit Hilfe der PECH-Regel. Konzentrieren Sie sich zur Entlastung der Patellasehne auf eine Kräftigung Ihrer Oberschenkelmuskulatur mit der Teilstreckung der Oberschenkelmuskeln (S. 37) und den Beinhebungen (S. 33 – 34). Probieren Sie es eventuell mit losen Einlagen zur Korrektur von Pronationsproblemen oder auch einem Patellaband – einem elastischen Band, das unterhalb der Kniescheibe getragen wird, um die Patellasehne zu stützen und das Knie zu entlasten. Gewöhnlich können Sie mit einer Patellasehnenentzündung trotz Schmerzen weiterspielen, solange der Schmerz nicht ständig schlimmer wird.

VERRENKTE KNIESCHEIBE

Durch eine Verdrehung des Knies kann die Kniescheibe aus der Führung springen. Sie erkennen es daran, dass sie deformiert aussieht und furchtbar wehtut. Wenn Sie das Knie gerade machen können, renkt sich die Kniescheibe manchmal wieder von selbst ein. Doch auch dann müssen Sie schnellstmöglich einen Arzt aufsuchen. Kühlen Sie das Knie und halten Sie es gerade.

Wie man vorbeugt

Vermeiden Sie die Beinstrecker-Maschine im Fitness-Studio. Statt Muskeln aufzubauen, kommt es unter Umständen zur Reizung der Sehnen, die das Knie und die Oberschenkelmuskulatur stützen. Versuchen Sie es lieber mit abgewandelten Übungen auf der Beinpresse, wie etwa der Beinpresse mit Balldrücken (S. 35), um mehr Muskeln aufzubauen und das Knie zu entlasten.

MENISKUSRISS

Woran Sie es merken

Die Verletzung selbst muss nicht sehr schmerzhaft sein. Mit der Zeit werden sich jedoch beim Treppensteigen, Bergaufgehen oder Aus-der-Hocke-Aufstehen Schmerzen im und um das Knie herum einstellen. Bei Bewegung ist vielleicht ein Knacken im Kniegelenk zu hören. Manchmal schwillt das Knie an.

Wie es dazu kommt

Beim Gehen oder Laufen wurde einer der beiden gummiartigen Knorpel im Knie beschädigt, die dafür sorgen, dass der Oberschenkelknochen nicht gegen den Schienbeinknochen reibt. Der Knorpel kann abgenutzt sein, oder Sie haben beim Aufstehen vom Boden das Knie verdreht.

Wie man es behandelt

Unter den üblichen Maßnahmen ist Ruhigstellung am wichtigsten. Ohne Schonung kann der Meniskus nicht heilen. Ein kleinerer Riss heilt mitunter von selbst aus; andernfalls müssen Sie operiert werden. Die Bein-hebungen auf S. 33 – 34 können die Heilung ebenfalls fördern.

Wie man vorbeugt

Vermeiden Sie es möglichst, in die Hocke zu gehen und das Knie zu ver-drehen. Erhalten Sie die Beweglich-keit mit den Dehnungsübungen auf S. 32 – 33.

ÜBERLASTUNGSFRAKTUR

Woran Sie es merken

In der Kniescheibe oder dem Schien-bein ist ein zunehmender dumpfer Schmerz, der beim Training schlim-mer wird.

Wie es dazu kommt

Infolge eines zu harten Trainings konnten sich die Knochen im Bein oder Knie nicht regenerieren und zeigen stattdessen Verschleißerschei-nungen. Die Folge ist ein beginnender Haarriss in einem der Knieknochen.

Wie man es behandelt

Eisbeutel und Schmerzmedikamente können die Schwellung und die Be-schwerden lindern, aber das Aller-wichtigste ist, das Training einzu-stellen. Nehmen Sie sich mindestens einen Monat Auszeit, damit der Kno-chen heilen kann. Bei einer schweren Verletzung können die Muskeln im Bereich des Bruchs mit Physiothera-pie schonend gekräftigt werden. Auf jeden Fall sollten Sie Ihren Sport erst wieder aufnehmen, wenn Sie den Knochen *und* die Muskulatur auf-gebaut haben.

Wie man vorbeugt

Steigern Sie Ihr Training allmählich, damit sich der Knochen an Ihr Lauf- oder Gewichthebeprogramm anpas-sen kann.

RISS DES VORDEREN KREUZBANDES

Woran Sie es merken

Zunächst hören Sie ein Knack- oder Schnappgeräusch, als würde ein Gummiband in Ihrem Bein reißen. Vielleicht hat es auch den Anschein, dass Ihr Knie nachgibt und Sie nicht länger trägt. Das Knie schwillt rasch an, weil es um das Band herum zu Einblutungen in das Kniegelenk kommt – dann wird der Schmerz wirklich unangenehm.

Wie es dazu kommt

Das Schienbein ist mit Gewalt vom Knie weggezogen oder -gedreht wor-den. Unter dem Druck ist das vordere Kreuzband, das dem Knie vorn Halt gibt, gerissen. Das kommt beim Ski-fahren vor, wenn das Knie sich in eine Richtung dreht, während das übrige Bein durch den Ski in einer anderen Richtung fixiert wird. Vielleicht sind Sie auch auf den Skiern nach hinten gekippt und wollten das Gleich-gewicht halten. Beim Tennis oder Fußball geschieht es meistens bei einer Drehung oder einem plötzlichen Abbremsen.

Wie man es behandelt

Belasten Sie das Knie nicht. Wenden Sie die PECH-Regel an und versuchen Sie, das Bein so rasch wie möglich

hochzulagern, um die Schwellung einzudämmen. Bei unerträglichen Schmerzen kann der Arzt zur Linderung der Schmerzen und der Schwellung das Knie punktieren – d. h. Blut und Gewebeflüssigkeit absaugen. Tragen Sie eine Kniebandage, die Ihnen volle Bewegungsfreiheit gibt, aber Ihr Knie trotzdem stützt.

Eine Operation ist nicht immer notwendig; es hängt von Ihrem Alter, dem Ausmaß Ihrer Aktivität, der Stabilität Ihres Knies und davon ab, ob andere Teile des Knies in Mitleidenschaft gezogen wurden. Allerdings ist Physiotherapie wichtig, um die Muskeln um das Knie herum während des Heilungsprozesses zu kräftigen und den Bewegungsumfang zu erweitern. Achten Sie darauf, Ihr Knie nicht über das therapeutisch Notwendige hinaus zu belasten.

Eine kleinere Zerrung braucht mindestens vier Wochen, um auszuheilen. Bei einem kompletten Riss mit wiederherstellender Chirurgie müssen Sie mit vier bis sechs Monaten rechnen.

Wie man vorbeugt

Lernen Sie von einem Profi in Ihrer Sportart, wie man nach einem Sprung richtig aufkommt und die hintere Oberschenkelmuskulatur so trainiert, dass eine plötzliche Belastung des Kreuzbandes aufgefangen wird. Eine Kräftigung der hinteren Oberschenkelmuskulatur kann hilfreich sein, achten Sie jedoch auf Ausgewogenheit, indem Sie auch die vorderen Beinmuskeln kräftigen. Versuchen Sie,

mit Hilfe der Dehnungen und Übungen auf S. 31–38 die Beweglichkeit und Kraft in Ihrem Knie wiederherzustellen.

RISS DES INNEREN SEITENBANDES

Woran man ihn erkennt

Ein gerissenes Seitenband erzeugt einen durchdringenden Schmerz im Innern des Knies.

Wie es dazu kommt

Jeder Schlag auf das Knie kann zu einem Riss des Seitenbandes führen. Auch bei einer Verdrehung kann das Knie gewaltsam nach innen knicken, sodass das Band überdehnt wird.

Wie man es behandelt

Kühlen Sie die Stelle um die Verletzung herum zur Linderung der Schmerzen und Schwellungen. Tragen Sie während der Heilung einige Monate lang eine Kniebandage, die stützt, ohne die Beweglichkeit einzuschränken, damit die Heilung beschleunigt wird. Durch Physiotherapie werden die Muskeln um die Verletzung herum gekräftigt und die Beweglichkeit aufrechterhalten. Eine Operation wird vermutlich nur bei einem sehr schweren Riss nötig sein. Es gibt verschiedene Schweregrade, vom Riss 1. Grades (leicht) bis zu einem Riss 3. Grades (sehr schwer).

Wie man vorbeugt

Wenn Sie mit einem Schlag aufs Knie rechnen müssen, tragen Sie mit Scharnieren versehene Knieschützer, die

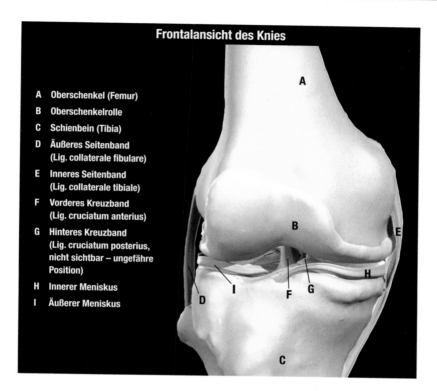

Frontalansicht des Knies

A Oberschenkel (Femur)

B Oberschenkelrolle

C Schienbein (Tibia)

D Äußeres Seitenband
(Lig. collaterale fibulare)

E Inneres Seitenband
(Lig. collaterale tibiale)

F Vorderes Kreuzband
(Lig. cruciatum anterius)

G Hinteres Kreuzband
(Lig. cruciatum posterius,
nicht sichtbar – ungefähre
Position)

H Innerer Meniskus

I Äußerer Meniskus

den Stoß dämpfen und die Schwere der Verletzung eindämmen. Führen Sie die Beweglichkeits- und Kräftigungsübungen auf S. 31 – 38 durch.

RISS DES ÄUSSEREN SEITENBANDES

Woran Sie es merken

In diesem Fall ist der durchdringende Schmerz an der Außenseite des Knies lokalisiert.

Wie es dazu kommt

Diese Verletzung ist seltener als andere Knieverletzungen. Die wahrscheinlichste Ursache ist, dass Sie plötzlich abbremsen oder einen Ausfallschritt machen und Ihr Knie nach außen wegknickt. Vielleicht wurde Ihr Knie bei einem Angriff auch mit Gewalt nach außen gedreht.

Wie man es behandelt

Gehen Sie nach der PECH-Regel vor und suchen Sie einen Arzt auf. Sehr selten ist bei einem solchen Unfall nur das äußere Seitenband betroffen; meist sind auch andere Sehnen oder der Knorpel mit betroffen. Tragen Sie eine Stützbandage und lassen Sie sich physiotherapeutisch behandeln, um das Knie zu kräftigen und die normale Bewegungsfähigkeit aufrechtzuerhalten. Ein gerissenes Seitenband kann Sie zwischen vier und zwölf Wochen außer Gefecht setzen.

Wie man vorbeugt

Führen Sie die Beweglichkeits- und Kräftigungsübungen auf S. 31–38 durch.

STUMMER RISS DES HINTEREN KREUZBANDES

Woran Sie es merken

Das Hauptsymptom ist ein leichter bis moderater Schmerz in der Kniekehle. Der Schmerz ist erträglich; Ihr Knie kann sich etwas wackelig anfühlen.

Wie es dazu kommt

Sie sind auf das gebeugte Knie gefallen, oder Ihr Knie ist bei einem Autounfall gegen das Armaturenbrett geprallt. Das hintere Kreuzband kann reißen, wenn ein Gegenstand frontal auf das Knie trifft und es mit Gewalt nach hinten drückt.

Wie man es behandelt

Schmerz ist ein guter Hinweis auf den Schweregrad einer Verletzung – stärkere Schmerzen bedeuten gewöhnlich einen schwereren Riss. Das gilt hier nicht. Selbst ein moderater Schmerz in der Kniekehle kann ein Anzeichen für einen schweren Riss sein, der ärztlicher Abklärung bedarf. Unbehandelt kann ein gerissenes Kreuzband zu Arthrose führen. Unter Umständen müssen Sie operiert werden, auch wenn der Riss bei vielen Menschen ohne Operation heilt. Ohne Operation sind Sie zwischen vier und acht Wochen und mit Operation zwischen vier und sechs Monaten außer Gefecht.

Wie man vorbeugt

Entwickeln Sie mit den Übungen auf S. 31–38 Kraft und Beweglichkeit in der Muskulatur, die Ihre Knie umgibt.

Starke und gesunde Knie helfen Ihnen, aus großen Höhen zu springen und sicher zu landen.

Knie-Workout

Es ist entscheidend, das Knietraining technisch sauber auszuführen. Warum? Weil jede unsachgemäß ausgeführte Kräftigungsübung ein muskuläres Ungleichgewicht zur Folge haben kann – die häufigste Ursache für Sportverletzungen. Gehen Sie nach einer 5- bis 10-minütigen Aufwärmphase mit leichtem Aerobic locker an Ihr Workout mit den Beweglichkeitsübungen heran und achten Sie darauf, jede Übung exakt nach Anleitung durchzuführen. Wenn Sie Schmerzen haben, schränken Sie die Bewegung so ein, dass Sie die Übung ohne Probleme oder Beschwerden durchführen können. Erweitern Sie allmählich Ihren Spielraum, bis Sie die Bewegung wie beschrieben durchführen können. Die folgenden Übungen sind so gestaltet, dass sie helfen, verbreitete technische Fehler zu korrigieren, die die zugrunde liegenden Probleme verschlimmern oder neue Verletzungen herbeiführen können.

DEHNUNG DER VORDEREN OBERSCHENKELMUSKULATUR
Ziel: M. quadriceps

Stellen Sie sich auf das linke Bein, winkeln Sie das rechte Knie an und umfassen Sie Ihren Fuß mit der rechten Hand. Ohne sich nach vorn zu beugen, ziehen Sie das Bein behutsam zum Körper, bis Sie eine Dehnung im rechten Oberschenkel spüren. Wenn Sie Schwierigkeiten haben, das Gleichgewicht zu halten, stützen Sie sich an einer Wand oder einem Stuhl ab. Halten Sie die Position 4 – 5 tiefe Atemzüge oder 20 – 30 Sekunden lang. Führen Sie 2 Sets mit jedem Bein durch.

DEHNUNG DER HINTEREN OBERSCHENKEL-MUSKULATUR IM SITZEN
Ziel: hintere Oberschenkelmuskulatur

Setzen Sie sich auf den Boden, strecken Sie das rechte Bein aus und legen Sie das linke Bein gegen die Leiste. Beugen Sie sich mit geradeaus gerichtetem Blick langsam nach vorn, bis Sie eine Dehnung in Ihrem rechten hinteren Oberschenkel spüren. Machen Sie den Rücken nicht krumm, um eine stärkere Dehnung zu erzielen; halten Sie die Brust herausgestreckt und den Rücken gerade, um eine Belastung des Kreuzes zu vermeiden. Halten Sie die Position 4 – 5 tiefe Atemzüge oder 20 – 30 Sekunden lang. Führen Sie 2 Sets mit jedem Bein durch.

DEHNUNG DER HINTEREN OBERSCHENKEL-MUSKULATUR IM LIEGEN
Ziel: hintere Oberschenkelmuskulatur, M. gastrocnemius

Legen Sie sich auf den Boden und umfassen Sie die Hinterseite Ihres linken Oberschenkels. Heben Sie das linke Bein gestreckt so weit hoch, wie Sie können, ohne das linke Knie zu beugen, bis Sie eine Dehnung in Ihrer hinteren Oberschenkelmuskulatur und/oder der Wade spüren. Halten Sie die Position 4 – 5 tiefe Atemzüge oder 20 – 30 Sekunden lang. Führen Sie 2 Sets mit jedem Bein durch.

PROFI-TIPP
Wenn Sie Probleme haben, Ihr Bein festzuhalten, während Sie flach auf dem Rücken liegen, können Sie ein Handtuch um Ihren Oberschenkel oder die Fußspitze schlingen und es als Hebel einsetzen. Wenn Sie das erhobene Bein nicht durchstrecken können, versuchen Sie, das andere Knie anzuwinkeln.

DEHNUNG DES ILIOTIBIALBANDES

Ziel: Iliotibialband

Stellen Sie sich mit der rechten Körperseite zur Wand. Stützen Sie sich mit der rechten Hand an der Wand ab. Halten Sie das rechte Knie gerade, stellen Sie das linke über das rechte Bein und neigen Sie sich langsam nach links. Bewegen Sie Ihre rechte Hüfte behutsam in Richtung Wand, bis Sie eine Dehnung an der Außenseite der rechten Hüfte spüren. Halten Sie die Position 4 – 5 tiefe Atemzüge oder 20 – 30 Sekunden lang. Führen Sie 2 Sets pro Seite durch.

ANHEBEN DES BEINS MIT ROTATION; POSITION A

Ziel: M. quadriceps (besonders der schräge innere Schenkelmuskel), Hüftbeuger, Leiste

1 Legen Sie sich flach auf den Rücken, winkeln Sie das linke Knie an und strecken Sie das rechte Bein. Drehen Sie den rechten Fuß leicht nach außen.

2 Spannen Sie den Muskel am Oberschenkel an und heben Sie langsam das rechte Bein, bis es fast auf gleicher Höhe mit dem linken Knie ist. Halten Sie die Position 1 – 2 Sekunden lang und senken Sie dann das rechte Bein langsam wieder ab. Führen Sie 20 Wiederholungen mit jedem Bein durch.

ANHEBEN DES BEINS MIT ROTATION; POSITION B

Ziel: M. quadriceps (besonders der schräge innere Schenkelmuskel), Hüftbeuger, Leiste

Beginnen Sie wie bei Position A. Dieses Mal setzen Sie sich leicht auf und stützen sich dabei auf Ihren Unterarmen und den Ellenbogen ab. Spannen Sie den Muskel am Oberschenkel an und heben Sie langsam das rechte Bein, bis es fast parallel zum linken Knie ist. Halten Sie die Position 1–2 Sekunden lang und senken Sie dann das rechte Bein langsam wieder ab. Führen Sie 20 Wiederholungen mit jedem Bein durch.

ANHEBEN DES BEINS MIT ROTATION; POSITION C

Ziel: M. quadriceps (besonders der schräge innere Schenkelmuskel), Hüftbeuger, Leiste

Beginnen Sie wieder wie bei Position A. Dieses Mal setzen Sie sich noch weiter auf und stützen sich hinten auf den Händen ab. Spannen Sie den Muskel oben am Oberschenkel an und heben Sie langsam das rechte Bein, bis es fast parallel zum linken Knie ist. Halten Sie die Position 1–2 Sekunden lang und senken Sie dann das rechte Bein langsam wieder ab. Führen Sie 20 Wiederholungen mit jedem Bein durch.

WANDRUTSCHE

Ziel: Gesäß, hintere Oberschenkelmuskulatur, Bauchmuskeln, Rumpf

Grätschen Sie die Beine schulterbreit und platzieren Sie einen Gymnastikball zwischen Ihrem Rücken und der Wand. Legen Sie ein Gummikissen oder einen Ball zwischen Ihre Knie. Mit geradem Rücken und den Händen auf den Hüften rutschen Sie langsam die Wand herunter, bis Ihre Knie eine Beugung von 80 – 90 Grad erreicht haben. Halten Sie die Position 10 Sekunden, dann kehren Sie in die Ausgangs- position zurück. Machen Sie 2 Sets mit 10 Wieder- holungen.

BEINPRESSE MIT BALLDRÜCKEN

Ziel: Innerer und äußerer Quadriceps, Gesäß, hintere Oberschenkelmuskulatur

1 Legen Sie sich auf die Beinpresse, stellen Sie die Füße auf den Fußtritt und positionieren Sie einen kleinen Ball zwischen den Knien.

2 Drücken Sie den Ball sanft zusammen und drücken Sie den Fußtritt nach oben, bis Ihre Beine gerade, aber nicht vollkommen durchgedrückt sind. Kehren Sie langsam wieder in die Ausgangsposition zu- rück. Führen Sie 15 Wieder- holungen mit mittleren Gewichten und anschließend 12 – 15 Wiederholungen mit mittleren bis schweren Gewichten durch.

BEIN-CURL

Ziel: hintere Oberschenkelmuskulatur

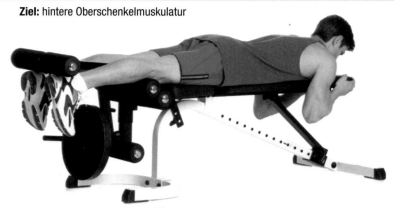

1️⃣ Legen Sie sich bäuchlings mit gestreckten Beinen auf eine Bein-Curl-Maschine; die Fersen liegen unter den Pads.

2️⃣ Heben Sie die Beine, bis Ihre Knie einen Winkel von 90 Grad erreicht haben. Kehren Sie langsam in die Ausgangsposition zurück. Führen Sie 15 Wiederholungen mit einem mittleren Gewicht, anschließend 12–15 Wiederholungen mit einem mittleren bis schweren Gewicht durch.

PROFI-TIPP

Bei einer Meniskusverletzung (siehe S. 26) sind Sie möglicherweise nicht in der Lage, Ihre Knie schmerzfrei in einem 90-Grad-Winkel zu beugen. Führen Sie den Curl bis zu einer Beugung von 70–80 Grad durch oder so weit, wie es Ihnen schmerzfrei möglich ist.

TEILSTRECKUNG DER OBERSCHENKELMUSKELN

Ziele: M. quadriceps (besonders der schräge innere Schenkelmuskel)

1 Vor Beginn stellen Sie die Beinpresse so ein, dass Ihre Unterschenkel beim Start einen Winkel von 45 Grad einnehmen. Setzen Sie sich in den Stuhl, legen Sie die Beine unter den Pad und heben Sie die Beine mit angezogenen Füßen auf 0 Grad.

2 Senken Sie die Beine langsam in die Ausgangsposition von 45 Grad ab. Führen Sie 15 Wiederholungen mit einem mittleren Gewicht und 12–15 Wiederholungen mit einem mittleren bis schweren Gewicht durch.

3 Machen Sie zum Abschluss 2 Sets mit einem mittleren Gewicht mit einem Bein bis zur Ermüdung, jeweils 1 Set pro Bein (nicht abgebildet).

GLEICHGEWICHTSÜBUNG AUF EINEM BEIN

Ziel: Fuß, Knöchel, Hüfte, Rumpf

Grätschen Sie die Beine schulterbreit und fixieren Sie mit den Augen einen Punkt vor Ihnen. Legen Sie die Hände auf die Hüften und halten Sie 30 Sekunden auf dem linken Bein das Gleichgewicht. Führen Sie 3–4 Wiederholungen mit jedem Bein durch.

PROFI-TIPP

Wenn Sie eine Verletzung haben, machen Sie die Gleichgewichtsübung mit Ihrem gesunden Bein. Strecken Sie die Arme seitlich in Schulterhöhe aus, wenn Sie Probleme haben, das Gleichgewicht 30 Sekunden zu halten.

STUFENÜBUNG

Ziel: Innerer und äußerer Quadriceps (besonders der schräge innere Schenkelmuskel)

[1] Legen Sie die Hände auf die Hüften, schauen Sie geradeaus und machen Sie mit dem rechten Bein einen Schritt auf die Stufe. Verlagern Sie dabei das Gewicht von der Ferse auf die Zehen.

[2] Lassen Sie das Gewicht auf dem rechten Bein, heben Sie langsam den linken Fuß, ohne ihn auf der Stufe abzusetzen, und halten Sie die Position 1–2 Sekunden lang. Nehmen Sie sich 2–3 Sekunden, um das linke Bein nach unten zurückzuführen. Machen Sie 15 Wiederholungen mit jedem Bein.

LEICHTE HOCKE MIT ÜBER-KOPF-STEMMEN

Ziel: Fuß, Knöchel, M. gastrocnemius, M. quadriceps, Gesäß, Rumpf

[1] Grätschen Sie die Beine hüftbreit und halten Sie einen mittelschweren Medizinball auf Brusthöhe. Gehen Sie leicht in die Hocke und drehen Sie Ihre Fußspitzen nach außen.

[2] Stellen Sie sich auf die Zehenspitzen und stemmen Sie gleichzeitig den Ball über den Kopf. Halten Sie die Position 3 Sekunden lang, dann senken Sie langsam die Fersen zu Boden. Machen Sie 2 Sets mit 15 Wiederholungen.

PROFI-TIP

Bei einer Schulter- oder Nackenverletzung sollten Sie den Ball nicht über den Kopf stemmen.

Oberschenkel-, Hüft- und Beckenverletzungen

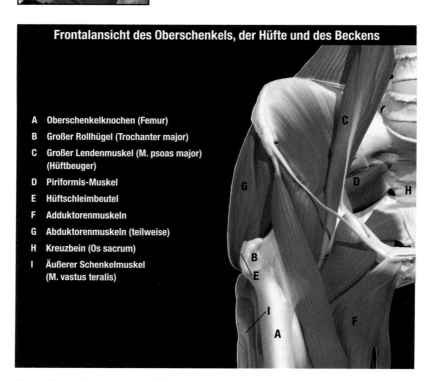

Frontalansicht des Oberschenkels, der Hüfte und des Beckens

A Oberschenkelknochen (Femur)

B Großer Rollhügel (Trochanter major)

C Großer Lendenmuskel (M. psoas major) (Hüftbeuger)

D Piriformis-Muskel

E Hüftschleimbeutel

F Adduktorenmuskeln

G Abduktorenmuskeln (teilweise)

H Kreuzbein (Os sacrum)

I Äußerer Schenkelmuskel (M. vastus teralis)

Oberschenkelmuskeln sind der Motor eines Läufers. Sie müssen kräftig sein, um Ihnen beim Training Energie zu geben, und beweglich, damit Sie auf Ihre letzten Reserven zurückgreifen und die Zielgerade überqueren können. Die meisten Leute begnügen sich damit, die vordere Oberschenkelmuskulatur aufzubauen und die hintere Oberschenkelmuskulatur zu dehnen, aber damit haben sie nur halbe Sache gemacht. Kräftigen und dehnen Sie sämtliche Muskeln des Oberschenkels. Wenn Sie dafür sorgen, dass dieser Teil Ihres Körpers gut in Form ist, ersparen Sie sich sehr viele Probleme.

ÜBERLASTUNGSFRAKTUR DES OBERSCHENKELKNOCHENS

Woran Sie es merken

Diese Verletzung ähnelt einer Leistenzerrung und verursacht Schmerzen entlang der Innenseite des Beins, die sehr heftig sein können. Anders als bei der Zerrung entwickelt sich der Schmerz allmählich.

Wie es dazu kommt

Durch übertriebenes Training hat sich ein Haarriss im Oberschenkel gebildet, der Verbindung zwischen Hüfte und Knie. Das passiert oft bei Ausdauersportarten, wie beim Laufen, wenn die Hüft- und Oberschenkelmuskeln ermüden und die Stöße nicht dämpfen können.

Wie man es behandelt

Ein minimaler Bruch ist auf dem Röntgenbild unter Umständen nicht sichtbar. Möglicherweise muss die Diagnose durch eine Kernspintomographie (MRT) gesichert werden. Unbehandelt kann die Überlastungsfraktur zur Komplettfraktur führen und eine Operation notwendig machen.

Wie man vorbeugt

Steigern Sie Ihre Trainingsstrecke oder -geschwindigkeit langsam und allmählich.

ENTZÜNDUNG DES HÜFTSCHLEIMBEUTELS

Woran Sie es merken

Sie haben Schmerzen außen an der Hüfte, die sich beim Treppensteigen, beim Bergauf- oder Bergabgehen oder beim Bewegen des Oberschenkels bemerkbar machen. Auch das Liegen auf der verletzten Seite kann wehtun.

Wie es dazu kommt

Ihr Körper hat eigene Hüftpolster – Flüssigkeit enthaltende Kissen, die man Schleimbeutel nennt. Sie schützen die Hüftknochen vor der konstanten Reibung durch die sie umgebenden Muskeln und Sehnen.

Durch exzessives Training – wenn Sie die Lauf- oder Radstrecke zu schnell erhöhen –, kann es zur Überlastung der Muskeln und damit zur Reizung und Schwellung der Schleimbeutel kommen. Eine damit verwandte Verletzung ist die Entzündung der Sehne an der Ansatzstelle des Gesäßmuskels außen an der Hüfte. Auch das kann zur Schleimbeutelreizung führen.

Wie man es behandelt

Bringen Sie die Schwellung zum Abklingen, indem Sie die Stelle kühlen und nichtsteroidale Schmerzmittel nehmen. Bei starken Schmerzen und Schwellungen lässt sich die Heilung eventuell durch eine Cortisonspritze beschleunigen. Führen Sie für die Beweglichkeit der Hüftbeuger und Oberschenkelmuskeln die Dehnübungen auf S. 45 – 48 durch. Damit können Sie die Schrittlänge beim Joggen erhöhen und auch die Effizienz der Seitwärtsbewegungen beim Tennis und Fußball verbessern.

Wie man vorbeugt

Entwickeln Sie die Hüft- und Oberschenkelmuskulatur mit Hilfe der Übungen auf S. 47 – 52.

LEISTENZERRUNG

Woran Sie es merken

An der Innenseite des Oberschenkels treten plötzliche Schmerzen und Schwellungen auf, die bis zum Humpeln führen können.

Wie es dazu kommt

Es liegt eine Überdehnung oder ein Riss der Schenkelanzieher oder Adduktoren vor – jener Muskeln an der Innenseite des Schenkels, die am Becken aufgehängt sind und dafür sorgen, dass Sie die Beine schließen können. Ein plötzlicher Ausfallschritt kann zu einer Überdehnung oder einem Riss in diesen Muskeln führen.

Wie man es behandelt

Verwenden Sie Eisbeutel, nichtsteroidale Schmerzmittel und (gegebenenfalls) Krücken. Bedenken Sie auch, dass es mehr als eine Leistenzerrung sein könnte. Wenn Sie eine Kontaktsportart betreiben, bei der Sie häufig abbremsen und anlaufen müssen, haben Sie sich möglicherweise einen Riss an der Sehne zugezogen, die den Abduktorenmuskel am Becken befestigt.

Anhaltender Schmerz in der oberen Leistengegend und dem Unterleib, der sich nicht bessert, könnte auf eine Sporthernie hinweisen. Die Verletzung entwickelt sich mit der Zeit und ist oft heilungsresistent. Bei hartnäckigen Schmerzen muss der Bruch eventuell operativ geschlossen und der Beckenboden gestrafft werden.

Eine weitere damit verwandte Verletzung ist die Entzündung des Schambeins an der Stelle, wo die Schambeinknochen im vorderen Beckenbereich zusammentreffen. Diese Verletzung tritt häufig bei Langstreckenläufern auf (und bei Frauen, die gerade ein Kind geboren haben). Die beste Behandlung ist Ruhe.

Wie man vorbeugt

Wärmen Sie Ihre Beinmuskulatur 5–10 Minuten mit Radfahren oder Joggen auf, bevor Sie ins Fitness-Studio gehen oder Sport treiben. Führen Sie nach der Aufwärmphase alle Beweglichkeitsübungen auf S. 45–47 aus. Versuchen Sie, jede Dehnung möglichst lange zu halten, ohne Gewalt auszuüben oder bis zum Schmerzpunkt zu gehen.

ZERRUNG DER VORDEREN OBERSCHENKELMUSKELN

Woran Sie es merken

Sie spüren ein plötzliches Ziehen oder Knacken vorn am Oberschenkel. Auf den durchdringenden Schmerz folgt ein Brennen und Anschwellen der Oberschenkelmuskulatur. Sie haben Mühe zu gehen, das Knie zu heben oder das Bein zu beugen.

Wie es dazu kommt

Sie sind ausgerutscht, haben eine plötzliche Trittbewegung oder einen Ausfallschritt gemacht und die dicken Muskeln dabei gezerrt. Der Quadrizeps verbindet das Knie mit der Hüfte und ist für viele Bewegungen zuständig, wie Laufen, Treten und Aufstehen aus dem Sitzen. Risse in diesen Muskeln treten vorzugsweise in der Mitte des Oberschenkels auf, aber auch am oberen und unteren Ende.

Wie man es behandelt

Behandeln Sie die Verletzung laut PECH-Regel (siehe S. 8). Führen Sie in der Heilungsphase unbedingt viele Dehnübungen (besonders die Oberschenkeldehnung auf S. 31) durch, um die Muskeln beweglich zu halten.

Wie man vorbeugt

Sorgen Sie für eine kräftige Oberschenkelmuskulatur, die ohne Zerrung oder Riss die Wucht plötzlicher Bewegungen abfangen kann. Wärmen Sie sich mit 5–10 Minuten leichtem Aerobic auf, führen Sie Dehnübungen und anschließend die Kräftigungsübungen auf S. 47–52 durch.

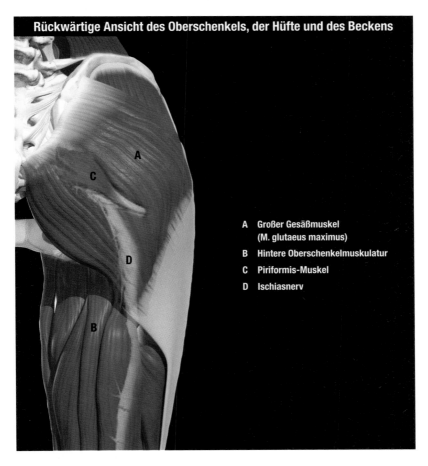

Rückwärtige Ansicht des Oberschenkels, der Hüfte und des Beckens

A Großer Gesäßmuskel
(M. glutaeus maximus)

B Hintere Oberschenkelmuskulatur

C Piriformis-Muskel

D Ischiasnerv

OBERSCHENKELPRELLUNG

Woran Sie es merken

Sie haben Schmerzen und eine Schwellung an der Stelle der Gewalteinwirkung, mit nachfolgendem Bluterguss. Sie können das Knie nur mit Mühe bewegen.

Wie es dazu kommt

Es kommt zu einem Schlag auf den Oberschenkel durch einen Ball, Schläger oder den Helm eines Mitspielers. Obwohl eine Oberschenkelprellung eine typische Verletzung bei Kontaktsportarten ist, kann auch ein unglücklicher Sturz bei einem Sport wie dem Skifahren die Schuld tragen.

Wie man es behandelt

Kühlen Sie die Verletzung und verbinden Sie den Muskel, um die Schwellung einzudämmen. Um zu vermeiden, dass das Bein steif wird und sich nicht mehr richtig beugen lässt, halten Sie das Knie in den ersten 24 Stunden möglichst angewinkelt,

sonst wird die Wiederherstellung schwieriger. Beachten Sie auch, dass sich bei der Heilung von Muskeln durch Kalziumablagerungen Narbengewebe an der verletzten Stelle bilden kann. In diesem Fall kann der Oberschenkelmuskel das Knie nicht mehr normal anheben, was zu vorübergehendem Humpeln führt. Zur Vorbeugung sollten Sie das Knie fortlaufend kühlen und es anwinkeln. Auch nichtsteroidale Schmerzmittel verhindern Kalziumablagerungen.

Wie man vorbeugt

Bei Kontaktsportarten sollten Sie Oberschenkelschützer tragen.

ZERRUNG DER HINTEREN OBERSCHENKELMUSKULATUR

Woran Sie es merken

Sie spüren ein plötzliches Ziehen, Reißen oder auch Knacken in der hinteren Oberschenkelmuskulatur, gefolgt von Schmerzen und Brennen. Sie können nicht gut laufen oder auf dem verletzten Bein auftreten; es kommt zu Muskelschwellungen. Nach ein paar Tagen kann sich im verletzten Bereich ein Bluterguss bilden.

Wie es dazu kommt

Die hintere Oberschenkelmuskulatur sorgt dafür, dass Sie sich abstoßen, hüpfen, laufen und das Bein beugen können. Jede Bewegung – ein Sprung oder langer Schritt –, die einen dieser Muskeln ruckartig in die Länge zieht, kann einen Riss zur Folge haben. Er tritt gewöhnlich in der Muskelmitte auf, aber auch an beiden Enden.

Wie man es behandelt

Belasten Sie das Bein möglichst nicht, denn das verschlimmert die Verletzung. Kühlen Sie den gezerrten Bereich sofort und verbinden Sie den Muskel zur Eindämmung der Schwellung mit einer elastischen Bandage. Sie müssen wahrscheinlich nicht ins Krankenhaus, außer die Schmerzen sind unerträglich und Sie können nicht stehen. In diesem Fall könnte der Muskel komplett gerissen sein, und Sie brauchen ärztliche Behandlung.

Meistens besteht die beste Behandlung in der Ruhigstellung. Sie sollten das Bein in der Heilungsphase nicht belasten, was Krücken bedeuten kann. Die Ausheilung einer kleineren Zerrung kann eine Woche bis zu einen Monat dauern, ein kompletter Riss entsprechend länger. Erst nach der vollständigen Ausheilung sollten Sie wieder auf den Platz oder das Laufband gehen, um eine erneute Verletzung des Muskels zu vermeiden.

Wie man vorbeugt

Achten Sie darauf, sich vor dem Spiel oder dem Training gründlich aufzuwärmen, und vergessen Sie nicht die Dehnübungen hinterher. Führen Sie die Dehnübungen der hinteren Oberschenkelmuskulatur im Sitzen und im Liegen auf S. 32 durch. Halten Sie Ihre Beinmuskulatur mit dem Workout ab S. 45 kräftig und locker.

Oberschenkel-, Hüft- und Becken-Workout

Ganz gleich, ob Sie eine Leistenzerrung auskurieren oder Ihre von Arthrose befallene Hüfte fit halten wollen: Die folgenden Übungen helfen, Kraft und Flexibilität in Hüfte, Becken und Oberschenkeln wiederzugewinnen und zu erhalten und die alte Beweglichkeit wiederherzustellen. Kleine präzise Bewegungen sind beim Trainieren dieser Muskeln sehr wirksam. Konzentrieren Sie sich deshalb darauf, jede Übung exakt nach Anleitung durchzuführen. Um sich noch einmal mit den grundlegenden Trainingsprinzipien vertraut zu machen, blättern Sie zur Einleitung zurück und lesen Sie die Abschnitte über das effektive Aufwärmen und eine ausgewogene Trainingsroutine. Gehen Sie schließlich nochmals die Beschreibungen der Verletzungen auf S. 40 – 44 durch, um festzustellen, ob sich die folgenden Übungen für Sie eignen. Fragen Sie Ihren Arzt, wenn Sie Bedenken wegen verletzungsbedingter Einschränkungen haben.

DEHNUNG DER LEISTE IM SITZEN
Ziel: Leiste, innere Schenkelmuskulatur

Legen Sie im Sitzen die Fußsohlen gegeneinander; ziehen Sie die Füße langsam in Richtung Leiste. Beugen Sie sich mit gestrecktem Rücken leicht nach vorn, umfassen Sie Ihre Knöchel und legen Sie dabei die Ellenbogen auf die Oberschenkel. Drücken Sie die Oberschenkel mit den Ellenbogen herunter, bis Sie die Dehnung in der Leiste spüren. Halten Sie die Position 4 – 5 tiefe Atemzüge oder 20 – 30 Sekunden lang. Machen Sie 2 Sets.

DEHNUNG DER LEISTE IM STEHEN
Ziel: Leiste, innere Schenkelmuskulatur

Grätschen Sie die Beine schulterbreit und
legen Sie die Hände vor der Brust zusammen.
Machen Sie einen großen Schritt nach rechts,
so weit, wie es Ihnen problemlos möglich ist.
Neigen Sie sich mit gestrecktem rechtem Bein
nach links, indem Sie Ihr linkes Knie leicht
beugen, bis Sie die Dehnung in Ihrem rechten inneren Schenkel und/oder der inneren
hinteren Schenkelmuskulatur spüren. Halten
Sie die Position 4 – 5 tiefe Atemzüge oder
20 – 30 Sekunden lang. Machen Sie 2 Sets
mit jedem Bein.

HÜFTBEUGER-DEHNUNG IM KNIEN
Ziel: Hüftbeuger, M. quadriceps

Knien Sie sich auf Ihr linkes Knie. Das rechte
Bein ist vorn und das Knie in einem 90-Grad-
Winkel (ähnlich wie bei der Startposition vor
einem Lauf). Neigen Sie sich leicht nach hinten und winkeln Sie Ihr linkes Knie an, indem
Sie den Knöchel behutsam nach oben
ziehen. Beugen Sie sich mit geradem
Rücken nach vorn, bis Sie eine
Dehnung im linken Schenkel
und vorn in der linken Hüfte
spüren. Halten Sie die Position
4 – 5 tiefe Atemzüge oder
20 – 30 Sekunden lang. Machen
Sie 2 Sets mit jedem Bein.

PIRIFORMIS-DEHNUNG

Ziel: Piriformis-Muskel, Iliotibialband

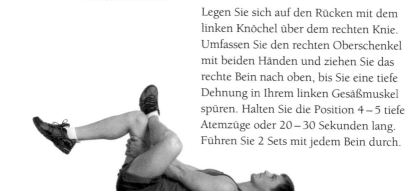

Legen Sie sich auf den Rücken mit dem linken Knöchel über dem rechten Knie. Umfassen Sie den rechten Oberschenkel mit beiden Händen und ziehen Sie das rechte Bein nach oben, bis Sie eine tiefe Dehnung in Ihrem linken Gesäßmuskel spüren. Halten Sie die Position 4 – 5 tiefe Atemzüge oder 20 – 30 Sekunden lang. Führen Sie 2 Sets mit jedem Bein durch.

ANHEBEN DES BEINS MIT ROTATION; POSITION A

Ziel: M. quadriceps (besonders der schräge innere Schenkelmuskel), Hüftbeuger, Leiste

1 Legen Sie sich flach auf den Rücken, winkeln Sie das linke Knie an und strecken Sie das rechte Bein aus. Drehen Sie den rechten Fuß leicht nach außen.

2 Spannen Sie den Muskel am Oberschenkel an und heben Sie langsam das rechte Bein, bis es fast parallel zum linken Knie ist. Halten Sie die Position 1 – 2 Sekunden lang und senken Sie dann das rechte Bein langsam wieder ab. Führen Sie 20 Wiederholungen mit jedem Bein durch.

ANHEBEN DES BEINS MIT ROTATION; POSITION B

Ziel: M. quadriceps (besonders der schräge innere Schenkelmuskel), Hüftbeuger, Leiste

Beginnen Sie wie bei Position A. Dieses Mal heben Sie den Oberkörper leicht
an und stützen sich dabei auf Ihren Unterarmen und Ellenbogen ab. Spannen
Sie den Muskel am Oberschenkel an und heben Sie langsam das rechte Bein,
bis es fast parallel zum linken Knie ist. Halten Sie die Position 1 – 2 Sekunden
lang und senken Sie das rechte Bein langsam wieder ab.
Führen Sie 20 Wiederholungen mit jedem Bein durch.

ANHEBEN DES BEINS MIT ROTATION; POSITION C

Ziel: M. quadriceps (besonders der schräge innere Schenkelmuskel), Hüftbeuger, Leiste

Beginnen Sie wieder wie bei Position A. Dieses Mal setzen Sie sich noch
weiter auf und stützen sich auf Ihren Händen ab. Spannen Sie den Muskel
am Oberschenkel an und heben Sie langsam das rechte Bein, bis es fast
parallel zum linken Knie ist. Halten Sie die Position 1 – 2 Sekunden lang
und senken Sie dann das rechte Bein langsam wieder ab. Führen Sie
20 Wiederholungen mit jedem Bein durch.

ABSPREIZEN DER HÜFTE

Ziel: Hüftabduktoren

1 Legen Sie sich mit gestreckten Beinen auf die linke Körperseite und stützen Sie sich auf dem linken Unterarm ab.

2 Während die linke Hüfte den Boden berührt, heben Sie langsam das rechte Bein. Halten Sie die Position 1–2 Sekunden, dann senken Sie das Bein langsam ab. Führen Sie 2 Sets mit 15 Wiederholungen pro Bein durch.

PROFI-TIPP

Halten Sie bei der Übung beide Beine durchgestreckt und achten Sie darauf, dass Ihr Körper nicht nach vorn oder hinten kippt.

ABSPREIZEN DER HÜFTE MIT ROTATION

Ziel: Hüftbeuger, Gesäßmuskeln, hintere Schenkelmuskulatur, Hüftabduktoren

1 Legen Sie sich mit gestreckten Beinen auf die rechte Seite und stützen Sie sich auf dem rechten Unterarm ab.

2 Während die rechte Hüfte den Boden berührt, führen Sie das linke Bein nach vorn; machen Sie 1 Sekunde Pause.

3 Heben Sie das linke Bein langsam in Richtung Decke, so hoch, wie es Ihnen problemlos möglich ist, ohne nach hinten zu kippen. Halten Sie die Position 1–2 Sekunden lang, dann kehren Sie langsam in die Ausgangsposition zurück. Führen Sie 1 Set mit 15 Wiederholungen pro Bein durch.

HÜFTSTRECKUNG

Ziel: Gesäßmuskeln, hintere Oberschenkelmuskulatur, unterer Rücken

1 Legen Sie sich mit gestreckten Beinen auf den Bauch; die Fußspitzen stehen auf dem Boden.

2 Während die Hüften den Boden berühren und die Knie ein paar Zentimeter über dem Boden sind, heben Sie Ihr linkes Bein an. (Wenn Sie dabei Schmerzen im Kreuz haben, heben Sie das Bein möglicherweise zu hoch.) Halten Sie die Position 1–2 Sekunden lang und kehren Sie dann langsam in die Ausgangsposition zurück. Führen Sie 2 Sätze mit 15 Wiederholungen pro Bein durch.

HEBEN DES ANGEWINKELTEN KNIES

Ziel: Gesäßmuskeln, hintere Oberschenkelmuskulatur, unterer Rücken

1 Legen Sie sich auf den Bauch; das rechte Bein ist gestreckt, und die Fußspitze steht auf dem Boden. Bringen Sie das linke Knie in einen 90-Grad-Winkel.

2 Heben Sie bei angewinkeltem linkem Knie langsam das linke Bein an; das rechte Knie berührt nicht den Boden. Halten Sie die Position 1–2 Sekunden lang und kehren Sie dann langsam in die Ausgangsposition zurück. Führen Sie 2 Sätze mit 15 Wiederholungen pro Bein durch.

PRESSEN DER INNENSCHENKEL IM STEHEN

Ziel: Innenseite des Oberschenkels, Leiste

PROFI-TIPP

Führen Sie die Übung nicht durch, wenn Sie eine Verletzung des inneren Seitenbandes haben (siehe S. 28).

1 Stellen Sie sich seitlich an einen Kabelzug und befestigen Sie eine Fußschlaufe an Ihrem rechten Knöchel. Machen Sie einen Schritt seitwärts und grätschen Sie die Beine schulterbreit; die Hände liegen auf den Hüften.

2 Verlagern Sie das Gewicht auf das linke Bein und führen Sie langsam das rechte Bein zum linken. Halten Sie die Position 1 – 2 Sekunden lang; kehren Sie dann langsam in die Ausgangsposition zurück. Führen Sie 2 Sets mit 15 Wiederholungen mit einem mittleren Gewicht durch.

Rücken- und Nacken-beschwerden

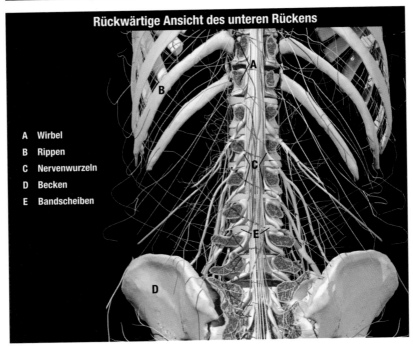

Rückwärtige Ansicht des unteren Rückens

A   Wirbel
B   Rippen
C   Nervenwurzeln
D   Becken
E   Bandscheiben

Durch übermäßiges Training und strapaziöse Kontaktsportarten über viele Jahre bekommen viele Menschen Rückenprobleme. Ironischerweise kann der Rücken schlechte Behandlung wegstecken, bis Sie sich eines Tages bücken, um die Schuhe zuzubinden, und feststellen, dass das Glück Sie verlassen hat. Bleiben Sie möglichst verletzungsfrei, indem Sie beim Heben von schweren Gegenständen in die Knie gehen, und tun Sie etwas für den Rumpf, die Bauchmuskulatur und den unteren Rücken. Dehnen Sie Ihre Rücken- und Bauchmuskulatur regelmäßig, besonders vor dem Workout oder einem Spiel.

KREUZSCHMERZEN

Woran Sie es merken

Die Lendenwirbelsäule und die Muskeln in der Umgebung tun weh. Die Schmerzen können morgens oder abends und nach dem Sitzen oder Autofahren schlimmer sein. Eventuell haben Sie auch nach dem Training Schmerzen.

Wie es dazu kommt

Eine ständige Belastung der Rückenmuskulatur durch eine schlechte Körperhaltung oder -mechanik führt mit der Zeit zu Verletzungen. Auch durch falsches Heben und unnatürliches Bücken können Sie sich Muskel- oder Bandscheibenrisse zuziehen. Wenn Sie dazu neigen zu trainieren, ohne sich aufzuwärmen und zu dehnen, wird Ihre Rückenmuskulatur hart und verletzungsanfällig.

Wie man es behandelt

Rückenschmerzen sind die häufigsten medizinischen Beschwerden bei Männern zwischen 30 und 50 Jahren. Wenden Sie zur Schmerzlinderung Kälte oder Wärme an und gönnen Sie Ihrem Rücken so viel Schonung wie möglich. Das bedeutet häufig vom Schreibtisch aufstehen und umhergehen. Unterbrechen Sie lange Autofahrten, Bahn- und Busreisen oder Flüge auf dieselbe Weise. Einfache Dehnübungen, wie die Dehnung des unteren Rückens (S. 60), können die Beweglichkeit verbessern. Kräftigen Sie die Bauch- und Rumpfmuskulatur mit den Übungen auf S. 61–66, damit der Druck gleichmäßig entlang der Wirbelsäule verteilt wird.

Ändern Sie langfristig Ihre Methode, sich zu bücken und Gegenstände aufzuheben, um eine Verschlimmerung zu vermeiden. Beugen Sie sich beispielsweise nicht aus der Taille vornüber, um etwas aus dem Kofferraum zu holen. Stellen Sie stattdessen einen Fuß auf die Stoßstange, halten Sie die Wirbelsäule gerade und gehen Sie beim Heben in die Knie.

Wie man vorbeugt

Es gibt keine Patentlösung. Gewöhnen Sie sich eine gute Haltung bei allem an, was Sie tun. Verbessern Sie die Beweglichkeit Ihres Rückens mit den Dehnübungen auf S. 60–61 und entwickeln Sie Ihre Rücken- und Rumpfmuskulatur mit den Kräftigungsübungen auf S. 61–66.

ÜBERLASTUNGSFRAKTUR IM UNTEREN RÜCKEN

Woran Sie es merken

Eine Überlastungsfraktur ähnelt Kreuzschmerzen und kann auch mit plötzlichen krampfartigen Schmerzen einhergehen.

Wie es dazu kommt

Sie haben durch eine wiederholte Bewegung die unteren Rückenwirbel (die Höcker entlang der Lendenwirbelsäule) verletzt. Bewegungen, bei denen Sie sich verdrehen oder bücken, belasten die Wirbel und können mit der Zeit zu Verschleiß mit anschließender Überlastungsfraktur führen. Möglicherweise spielt auch eine anlagebedingte Komponente eine Rolle, sodass Ihre Trainingsmethoden oder Ihr Sport nicht die ganze Schuld tragen.

Wie man es behandelt

Diese Verletzung tut vor allem beim Beugen des Rückens weh. Geben Sie daher die Aktivität auf, durch die die Fraktur verursacht wurde, bis Sie wieder schmerzfrei spielen können. In der Zwischenzeit können Eisbeutel und entzündungshemmende Medikamente die Schmerzen ein wenig lindern. Zur Abwendung weiterer Schädigungen könnten Sie eine Rückenmanschette tragen. Lassen Sie sich zur Stärkung und Stabilisierung der Muskulatur im verletzten Bereich physiotherapeutisch behandeln. Eine

Überlastungsfraktur im Kreuz legt Sie gewöhnlich für zwei bis drei Monate lahm, in einigen Fällen sogar bis zu ein Jahr.

Wie man vorbeugt

Beginnen Sie mit der Dehnung der hinteren Oberschenkelmuskeln auf S. 32. Führen Sie anschließend die Crunches auf S. 62 – 63 zur Kräftigung des Rumpfes durch. Schränken Sie Streck- und Drehbewegungen ein (auch wenn das nicht leicht ist, falls Ihr Sport diese Bewegungen verlangt).

BANDSCHEIBENVORFALL

Woran Sie es merken

Sie erleben möglicherweise einen durchdringenden plötzlichen oder allmählichen Schmerz an einer bestimmten Stelle der Wirbelsäule. Beim Sitzen, Bücken oder Niesen kann ein schockartiger Schmerz auftreten. Mit den Rückenschmerzen gehen vielleicht auch Schmerzen, Ameisenlaufen oder Taubheitsgefühle in einem Bein einher, der so genannte Ischias. Eventuell verkrampfen sich die Muskeln in Ihrem Rücken, sodass Sie nicht aufrecht oder nur leicht zur Seite geneigt stehen können. Auf diese Weise nimmt Ihr Körper eine Schonhaltung ein. Wenn die geschädigte Bandscheibe im Bereich der Halswirbelsäule liegt, haben Sie möglicherweise starke Schmerzen, wenn Sie versuchen, den Nacken gerade zu machen. Gleichzeitig können Schmerzen, Ameisenlaufen und ein Taubheitsgefühl im Arm auftreten.

Wie es dazu kommt

Im Zwischenwirbelraum liegt jeweils eine Bandscheibe, die als Stoßdämpfer fungiert. Beim Einreißen beult sie sich in der Mitte und reizt die Nerven rund um den Wirbelkanal. Mitunter reißen Bandscheiben ohne vorherige Überlastung.

Wie man es behandelt

Lindern Sie die Schmerzen mit Kälte, Wärme oder Schmerzmedikamenten. Eine Rücken- oder Halsmanschette hilft, den Bereich ruhig zu stellen und damit Schmerzen zu lindern. Möglicherweise ordnet der Arzt zur Sicherung der Diagnose eine Kernspintomographie an. Wahrscheinlich brauchen Sie Physiotherapie, um die Muskeln rund um die verletzte Stelle zu kräftigen und um richtiges Bücken und Heben zu lernen.

Wie man vorbeugt

Nehmen Sie alle Dehn- und Kräftigungsübungen auf S. 59 – 66 in Ihr Trainingsprogramm auf.

SCHLEUDERTRAUMA

Woran Sie es merken

Zunächst ist vielleicht kein Schmerz da. Im Laufe des Tages beginnt die Nackenmuskulatur jedoch allmählich, wehzutun und steif zu werden, bis Sie den Nacken vielleicht nicht mehr bewegen können. Der Schmerz kann sich zwischen den Schulterblättern ausbreiten oder in die Schultern ausstrahlen. Eventuell haben Sie auch Kopfschmerzen.

Rückwärtige Ansicht des Rückens und Beckens

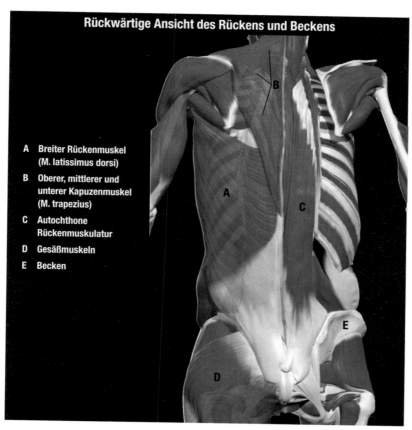

A Breiter Rückenmuskel
(M. latissimus dorsi)

B Oberer, mittlerer und
unterer Kapuzenmuskel
(M. trapezius)

C Autochthone
Rückenmuskulatur

D Gesäßmuskeln

E Becken

Wie es dazu kommt

Ihr Hals wurde mit Gewalt nach vorn oder hinten geschleudert, was eine Überdehnung oder Zerrung der Muskeln zur Folge hat, die den Kopf aufrecht halten. Das Schleudertrauma kann einer Überlastung durch schlechte Haltung bei einem Sport ähneln. Ein Radfahrer, der zu schnell und zu weit fährt, kann an schleudertraumaähnlichen Symptomen leiden.

Wie man es behandelt

Nehmen Sie nichtsteroidale, entzündungshemmende Medikamente oder rezeptfreie Schmerztabletten. Möglicherweise müssen Sie eine Halsmanschette tragen – einen weichen gepolsterten Kragen, der den Hals fixiert, um ihn ruhig zu stellen. Vielleicht gibt Ihnen der Arzt auch ein Muskelrelaxans gegen die Schmerzen und Krämpfe.

Wie man vorbeugt

Stärken Sie die Nackenmuskulatur und Ihre Beweglichkeit mit den Übungen auf S. 59–60. Verbessern Sie Ihre Haltung bei allen täglichen Aktivitäten. Benutzen Sie Kopfhörer,

wenn Sie bei der Arbeit viel telefonieren. Achten Sie bei Computerarbeit darauf, die Füße flach auf den Boden zu stellen und die Knie in oder unter Hüfthöhe zu halten. Machen Sie folgende Beweglichkeitsübungen:

1. Bringen Sie das Kinn zur Brust.
2. Legen Sie den Kopf in den Nacken und schauen Sie zur Decke.
3. Drehen den Kopf hin und her, sodass Ihr Kinn ungefähr eine Linie mit den Schultern bildet.
4. Legen Sie den Kopf zur Seite, bis das Ohr jeweils fast die Schulter berührt.

ZERRUNG IM MITTLEREN RÜCKEN

Woran Sie es merken

Sie haben Schmerzen und Krämpfe im Bereich der Brustwirbelsäule. Möglicherweise ist eine bestimmte Muskelstelle berührungsempfindlich und geschwollen.

Wie es dazu kommt

Es ist eine verbreitete Verletzung bei Kugelstoßern und Windsurfern mit schlechter Technik. Evtl. haben Sie jedoch ein zu hohes Gewicht auf der Brustpresse gestemmt und dabei eine Ausweichbewegung mit der Hüfte gemacht. Bei einer unnatürlichen Kombination von Dreh- und Stoßbewegungen kommt es zur Zerrung der Muskeln entlang des Rückgrats.

Wie man es behandelt

Lindern Sie die Schmerzen mit nichtsteroidalen Schmerztabletten und Ruhe. Vermeiden Sie in der Heilungsphase Drehbewegungen mit dem Oberkörper.

Wie man vorbeugt

Achten Sie beim Gewichtheben oder Trainieren mit Gewichten auf die korrekte Ausführung. Heben Sie lieber weniger Gewicht, und das korrekt, als aufzuschneiden und sich eine Verletzung zuzuziehen. Wiederholte Verletzungen der Muskulatur können zu Arthrose führen.

BURNER- ODER STINGER-SYNDROM

Woran Sie es merken

Der Arm ist plötzlich einige Minuten lang taub oder kribbelt. Es kann auch zu einem schießenden, elektrischen Schmerz kommen, der den Arm hinunterläuft.

Wie es dazu kommt

Wird der Kopf plötzlich zur Seite geschleudert, werden die Nerven, die vom Hals in den Arm laufen, überdehnt.

Wie man es behandelt

Spielen Sie erst weiter, wenn Sie wieder Gefühl und Kraft im Arm haben und ihn vollständig drehen können. Manchmal dauert das nur ein paar Minuten. Bei einem beidseitigen Burner-Syndrom müssen Sie geröntgt werden.

Wie man vorbeugt

Führen Sie die Beweglichkeits- und Kräftigungsübungen des Workouts auf S. 59 – 66 und 72 – 78 durch.

Rücken-, Nacken- und Rumpfmuskulatur-Workout

Alle Bewegungen gehen von der Körpermitte aus – den Rumpf- und Rückenmuskeln, die an der Wirbelsäule, dem Becken und den Hüften befestigt sind. Diese Muskeln halten Ihren Körper aufrecht und verleihen ihm Stabilität. Durch die Kräftigung der Rumpfmuskulatur senken Sie nicht nur das Risiko von Verletzungen im LWS-Bereich, sondern bringen auch Ihre Bauchmuskeln in Form und betonen sie. Das folgende Workout ist ein wirksames Zusatztraining zu den anderen Übungen im Buch und hilft, muskuläres Gleichgewicht, Kraft und Beweglichkeit im Lendenwirbelsäulen- und Bauchbereich herzustellen. Nach einer Aufwärmphase mit 5 – 10 Minuten leichtem Aerobic gehen Sie locker zum Workout über, indem Sie mit den Dehnungsübungen für den Nacken und unteren Rücken beginnen. Führen Sie danach die Rücken- und Bauchübungen auf S. 61 – 66 in der angegebenen Reihenfolge durch.

DEHNUNG DER OBEREN KAPUZEN-MUSKELN IM SITZEN
Ziel: M. trapezius

Setzen Sie sich auf Ihre rechte Hand; der Handteller zeigt nach oben; die Schultern bleiben hinten, und der Rücken ist gerade. Drehen Sie Ihren Kopf leicht nach links und schauen Sie auf Ihr linkes Knie. Um die verhärteten Bereiche besser zu erreichen, bewegen Sie den Kopf mehr nach links oder rechts. Ziehen Sie den Kopf mit der linken Hand sanft nach unten, bis Sie die Dehnung im rechten oberen Kapuzenmuskel spüren. Halten Sie die Position 4 – 5 tiefe Atemzüge oder 20 – 30 Sekunden lang. Führen Sie 2 Sets auf jeder Seite durch.

DEHNUNG DES SCHULTERBLATT-HEBERS IM SITZEN

Ziel: M. levator scapulae

Setzen Sie sich auf eine Bank oder einen Stuhl und lassen Sie die rechte Hand leicht hinter der rechten Schulter ruhen. Ziehen Sie den Kopf mit der linken Hand behutsam nach links, bis Sie eine Dehnung in der Nähe des rechten Schulterblatts spüren. Halten Sie die Position 4 – 5 tiefe Atemzüge oder 20 – 30 Sekunden lang. Führen Sie 2 Sets auf jeder Seite durch.

> ## PROFI-TIPP
> Die Dehnungen des oberen Kapuzen-muskels und Schulterblatthebers helfen, Verspannungen, Steifheit und Schmerzen im oberen Rücken und Nacken abzubauen.

DEHNUNG DES UNTEREN RÜCKENS

Ziel: Autochthone Rückenmuskulatur, M. latissimus dorsi

1 Beginnen Sie in einer knienden Position vor einem mittelgroßen Gymnastikball. Legen Sie beide Hände auf den Ball und recken Sie sich behutsam nach vorne, während Sie versuchen, Ihr Gesäß in Richtung Fersen zu bewegen. Halten Sie die Position 4 – 5 tiefe Atemzüge oder 20 – 30 Sekunden lang. Machen Sie 2 Sets.

2 Recken Sie sich behutsam nach vorn und drehen Sie den Ball leicht nach links, bis Sie eine Dehnung auf der rechten Seite des Rückens spüren. Halten Sie die Position 4 – 5 tiefe Atemzüge oder 20 – 30 Sekunden lang. Machen Sie 2 Sets pro Seite.

BRÜCKE MIT BALL

Ziel: Unterer Rücken, Gesäßmuskeln, hintere Oberschenkelmuskeln

1 Legen Sie sich auf den Rücken. Winkeln Sie die Beine an, die Füße stehen flach auf dem Boden. Positionieren Sie einen leichten Medizinball zwischen den Knien.

2 Drücken Sie den Ball bei angespannten Bauchmuskeln sanft zusammen und heben Sie das Gesäß, bis Ihr Rücken gestreckt ist. Halten Sie die Position 1 – 2 Sekunden lang und kehren Sie dann in die Ausgangsposition zurück. Führen Sie 1 Set mit 30 Wiederholungen durch.

BRÜCKE MIT EINEM BEIN

Ziel: Unterer Rücken, Gesäß, hintere Oberschenkelmuskeln, schräge Muskulatur

1 Legen Sie sich mit angewinkelten Knien auf den Rücken. Die Füße stehen flach auf dem Boden. Strecken Sie Ihr linkes Bein und heben Sie es an, bis es parallel zum rechten Bein ist.

2 Heben Sie mit Hilfe des rechten Beins das Gesäß, bis Ihr Rücken gestreckt ist. Halten Sie die Position 1 – 2 Sekunden lang und kehren Sie dann in die Ausgangsposition zurück. Führen Sie 1 Set mit 20 Wiederholungen durch.

ABGEWANDELTER CRUNCH, POSITION A

Ziel: Bauchmuskulatur (vor allem obere Bauchmuskeln)

1 Legen Sie sich mit angewinkelten Knien auf den Rücken und stellen Sie die Beine flach auf den Boden. Halten Sie einen mittleren bis schweren Medizinball mit gestreckten Armen über den Kopf.

2 Während Sie den Medizinball weiter mit gestreckten Armen über den Kopf halten, bewegen Sie den Kopf und Rumpf in Richtung Knie, ohne Schwung zu holen. Halten Sie die Position 1 – 2 Sekunden lang und kehren Sie dann langsam in die Ausgangsposition zurück. Führen Sie 20 Wiederholungen durch.

ABGEWANDELTER CRUNCH, POSITION B

Ziel: Bauchmuskeln (vor allem untere Bauchmuskeln)

▣ Legen Sie sich mit leicht angewinkelten Knien auf den Rücken, die Füße ruhen auf den Fersen. Legen Sie einen leichten Medizinball zwischen Ihre Knie und strecken Sie die Arme über den Bauchnabel wie abgebildet.

▨ Halten Sie die Arme weiter gestreckt auf Bauchnabelhöhe, drücken Sie den Medizinball zusammen und heben Sie die Knie langsam in Richtung Hände. Halten Sie die Position 1–2 Sekunden lang und kehren Sie in die Ausgangsposition zurück. Führen Sie 20 Wiederholungen durch.

ABGEWANDELTER CRUNCH, POSITION C

Ziel: Bauchmuskeln (vor allem obere und untere Bauchmuskeln)

▣ Legen Sie sich auf den Rücken mit einem leichten Medizinball zwischen den Knien und halten Sie einen mittleren bis schweren Medizinball mit gestreckten Armen über Ihren Kopf. Drücken Sie den Ball zwischen den Knien zusammen und heben Sie die Knie in Richtung Hände.

▨ Halten Sie den Medizinball weiter gestreckt über den Kopf und drücken Sie den Ball zwischen den Knien zusammen, während Sie mit dem Oberkörper nach oben kommen. Halten Sie die Position 1–2 Sekunden lang und kehren Sie in die Ausgangsposition zurück. Führen Sie 20 Wiederholungen durch.

ABGEWANDELTE PLANKE

Ziel: Brustmuskel, Schultermuskel, Bauchmuskeln, unterer Rücken, Gesäß, Rumpf

1 Legen Sie sich mit gestreckten Beinen auf den Bauch, die Fußspitzen stehen auf dem Boden. Schauen Sie nach vorn und stützen Sie sich auf den Unterarmen auf.

2 Während die Ellenbogen eine Linie mit den Schultern bilden, heben Sie die Hüften und Knie von der Matte, bis Ihr Rücken gerade ist. Halten Sie die Position 10 Sekunden und kehren Sie in die Ausgangsposition zurück. Führen Sie 10 Wiederholungen durch.

ABGEWANDELTE PLANKE MIT HÜFTSTRECKUNG

Ziel: Brustmuskeln, Schultermuskeln, Bauchmuskeln, unterer Rücken, Gesäß, schräge Muskeln und Rumpf

1 Positionieren Sie Ihre Ellenbogen unterhalb der Schultern und heben Sie die Hüften und Knie von der Matte.

2 Lassen Sie das Gewicht auf den Unterarmen und den Zehenspitzen ruhen und heben Sie das linke Bein. (Wenn Sie Schmerzen im Kreuz haben, heben Sie das Bein möglicherweise zu hoch.) Halten Sie die Position 1–2 Sekunden lang und kehren Sie in die Ausgangsposition zurück. Führen Sie 2 Sets mit 15 Wiederholungen pro Bein durch.

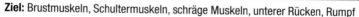

SEITLICHE PLANKE IM LIEGEN

Ziel: Brustmuskeln, Schultermuskeln, schräge Muskeln, unterer Rücken, Rumpf

1. Legen Sie sich mit gestreckten Beinen auf die rechte Seite und stützen Sie sich auf dem rechten Unterarm ab.

2. Legen Sie den linken Arm auf die Hüfte und heben Sie den Körper an, bis Ihr Rücken gerade ist. Halten Sie die Position 10 Sekunden lang und kehren Sie in die Ausgangsposition zurück. Führen Sie 10 Wiederholungen auf jeder Seite durch.

ARM- UND BEINSTRECKUNG AUF DEM GYMNASTIKBALL

Ziel: Gerade und schräge Rückenmuskulatur, Gesäß, hintere Oberschenkelmuskeln

1. Legen Sie sich bäuchlings auf einen Gymnastikball; die Handflächen berühren den Boden, und die Beine sind hinter Ihnen ausgestreckt wie abgebildet. Schauen Sie geradeaus und halten Sie die Beine schulterbreit gegrätscht, um nicht das Gleichgewicht zu verlieren.

2. Heben Sie gleichzeitig den rechten Arm und das linke Bein. Halten Sie die Position 1–2 Sekunden lang und kehren Sie in die Ausgangsposition zurück. Machen Sie 1 Set mit 15 Wiederholungen auf jeder Seite.

RÜCKENSTRECKUNG AUF DEM GYMNASTIKBALL

Ziel: Unterer Rücken, Gesäß

1. Legen Sie sich bäuchlings auf einen Gymnastikball. Ihre Beine sind etwas mehr als schulterbreit gegrätscht, und Ihre Fußspitzen haben Bodenkontakt. Verschränken Sie die Hände hinter dem Kopf.

2. Mit nach hinten gezogenen Ellenbogen, die auf Schulterhöhe sind, heben Sie den Oberkörper an, indem Sie den Rücken gerade machen. Halten Sie die Position 1 – 2 Sekunden lang und kehren Sie in die Ausgangsposition zurück. Führen 2 Sets mit 15 Wiederholungen durch.

RÜCKENSTRECKUNG AUF DEM GYMNASTIKBALL MIT ARMSTRECKUNG

Ziel: Unterer Rücken, Gesäß, unterer Kapuzenmuskel, gerade Rückenmuskulatur

1. Legen Sie sich bäuchlings auf einen Gymnastikball. Grätschen Sie die Beine etwas mehr als schulterbreit, die Fußspitzen berühren den Boden. Verschränken Sie die Hände hinter dem Kopf. Die Ellenbogen bilden eine Linie mit den Schultern.

2. Heben Sie den Oberkörper an, indem Sie den Rücken gerade machen und die Arme strecken. Halten Sie die Position 1 – 2 Sekunden lang, verschränken Sie die Hände hinter dem Kopf und kehren Sie langsam in die Ausgangsposition zurück. Führen Sie 1 Set mit 20 Wiederholungen durch.

Schulterverletzungen

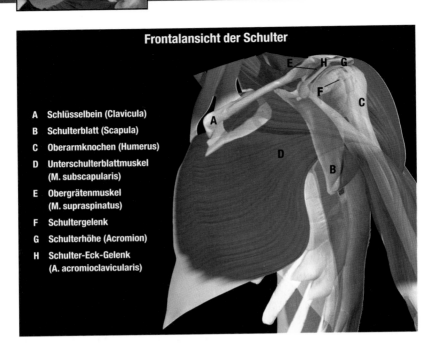

Frontalansicht der Schulter

A   Schlüsselbein (Clavicula)

B   Schulterblatt (Scapula)

C   Oberarmknochen (Humerus)

D   Unterschulterblattmuskel
     (M. subscapularis)

E   Obergrätenmuskel
     (M. supraspinatus)

F   Schultergelenk

G   Schulterhöhe (Acromion)

H   Schulter-Eck-Gelenk
     (A. acromioclavicularis)

Von allen Körpergelenken ist die Schulter am beweglichsten und muss es auch sein. Deshalb stellt eine Zerrung oder ein Bruch in einem der beteiligten Knochen und Gewebe eine gravierende Einschränkung dar. Jede kleine Bewegung schmerzt. Obwohl viele Menschen im Fitness-Studio viele Stunden die Muskelgruppen um die Schultern herum trainieren, verwenden wenige genügend Zeit auf den Erhalt der Beweglichkeit der Schultern. Wenn Sie das tun, können Sie sich unter Umständen einige der häufigsten Schulterverletzungen ersparen.

VERRENKTE SCHULTER

Woran Sie es merken

Es scheint, als wäre die Schulter auseinander genommen worden, und dem ist auch so. Bei einer Verstauchung sind die Schmerzen beim vorübergehenden Herausspringen des Gelenks am stärksten und machen danach einem unangenehmen dumpfen Schmerz Platz. Der Arm kann sich anschließend schwach oder taub anfühlen. Ist die Schulter vollständig ausgerenkt, haben Sie unerträgliche Schmerzen und können Ihren Arm nicht mehr bewegen. Das Kugelgelenk des Oberarms ragt unnatürlich vor oder hinter der Schulter hervor.

Wie es dazu kommt

Bei einem Riss oder einer Überdehnung der Bänder, die das Kugelgelenk des Oberarms in der Gelenkpfanne halten, springt das Gelenk aus der Führung. Manche Menschen haben anlagebedingt schwache Bänder; häufigere Schulterverrenkungen müssen bei ihnen nicht durch eine Verletzung verursacht sein.

Wie man es behandelt

Zur Linderung der Schmerzen und der Schwellung bei einer Verstauchung sollten Sie die Stelle in den ersten Tagen kühlen und nichtsteroidale Schmerzmittel nehmen. Versuchen Sie bei einer Ausrenkung nicht, das Gelenk selbst oder mit Hilfe eines Freundes wieder einzurenken. Das Gewebe schwillt rasch an, und nur ein Arzt kann die Schulter korrekt richten. Ein Laie zerreißt höchstwahrscheinlich noch weitere Bänder oder bricht sogar den Arm. Halten Sie den Arm einfach in der für Sie angenehmsten Position – nahe am Körper, wenn das Gelenk im Rücken hervorragt, und ein wenig vom Körper weg, wenn es vorn hervorragt. Dämmen Sie die Schwellung mit Hilfe von Eisbeuteln und entzündungshemmenden Medikamenten ein und fahren Sie unverzüglich ins Krankenhaus.

Wie man vorbeugt

Um Verstauchungen und Verrenkungen vorzubeugen, nehmen Sie die Übungen zur Schulterkräftigung in Ihr Workout auf, wie die abgewandelten Seithebungen, die abgewandelten Hebungen nach vorn und die «V»-Hebungen (S. 74 – 75). Bei häufigen Ausrenkungen muss gewöhnlich operiert werden.

GEBROCHENES SCHLÜSSELBEIN

Woran Sie es merken

Abgesehen von den Schmerzen und der Schwellung können Sie den Bruch vielleicht tasten, wenn Sie mit dem Finger am Schlüsselbein entlangfahren – das tut jedoch noch mehr weh. Wenn der Knochen durch die Haut ragt, müssen Sie umgehend ins Krankenhaus, weil sofortige Infektionsgefahr besteht.

Wie es dazu kommt

Prallt die Schulter aufs Pflaster (oder einen anderen harten Untergrund), wird das Schlüsselbein – der dünne Knochen, der vom Brustbein zur Schulter verläuft – wie ein Zweig geknickt. Für einen Schlüsselbeinbruch reicht es schon aus, auf die ausgestreckte Hand zu fallen.

Wie man es behandelt

Bewegen Sie den verletzten Arm nicht. Im Krankenhaus bekommen Sie nach dem Röntgen einen so genannten Rucksackverband, der Ihre Schulter leicht nach hinten fixiert (und für eine wirklich gute Haltung sorgt), oder eine gewöhnliche Armschlinge. Damit wird das Schlüsselbein bis zur Heilung ruhig gestellt. Lassen Sie Ihren Arzt – nach einer weiteren Röntgenaufnahme – entscheiden, wann Sie wieder Sport treiben dürfen. Der Knochen könnte immer noch schwach sein und leicht wieder brechen.

WELCHE SCHULTERVERLETZUNG HABEN SIE?

Sie sind heftig gestürzt und haben starke Schmerzen in der Schulter. Was ist passiert? Es kann sich um eine von zwei Arten der Schulterverletzung handeln:

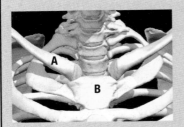

Bei der **Brustbein-Schlüsselbein-Läsion** kommt es zu einem Riss oder einer Durchtrennung des Bandes, welches das Brustbein mit dem Schlüsselbein verbindet, was zu Schmerzen und Schwellungen in Brustbeinnähe führt. Bei einem Bänderriss wird die Verbindung zwischen den beiden Knochen durchtrennt, was zur Folge haben kann, dass das Schlüsselbein (A oben) über oder unter das Brustbein (B oben) wandert. Rutscht es über das Brustbein, kommt es nur zu Schmerzen und starken Schwellungen. Der Arzt wird es gegebenenfalls richten und einen Verband anlegen. Wandert das Schlüsselbein hinter das Brustbein, liegt ein Notfall vor. Es kann sein, dass Sie sich im OP wiederfinden.

Bei der **klassischen Läsion** kommt es zum Riss des Bandes, das das Schlüsselbein mit dem Schultergelenk verbindet. Bei einem leichten Riss tut Ihnen einfach nur die Schulter weh, oder Sie können Ihren Arm nicht bewegen. Kühlen Sie den geschwollenen Bereich in den ersten Tagen alle vier Stunden zwanzig Minuten lang mit Eis. Nehmen Sie zur Linderung der Schmerzen und der Schwellung entzündungshemmende Medikamente. Der Arzt wird die Verletzung begutachten und vielleicht eine Schlinge anlegen, um den Arm ruhig zu stellen, bis das Band geheilt ist.

Wie man vorbeugt

Versuchen Sie, sich beim Fallen rund zu machen und abzurollen, um den Schlag auf die Schulter zu dämpfen.

VERLETZUNG DER ROTATORENMANSCHETTE

Woran Sie es merken

Das Hauptsymptom sind Schmerzen, wenn Sie Ihren Arm über den Kopf oder über Augenhöhe heben. Sie spüren unter Umständen einen kneifenden Schmerz oben auf oder vorn an der Schulter. Manchmal hört oder fühlt man beim Bewegen des Arms oder Gelenks ein Knirschen oder leises Knacken. Der Schmerz kann bis in den Bizeps ausstrahlen.

Wie es dazu kommt

Durch eine wiederholte Bewegung, wie Schwimmen oder Werfen, wur-

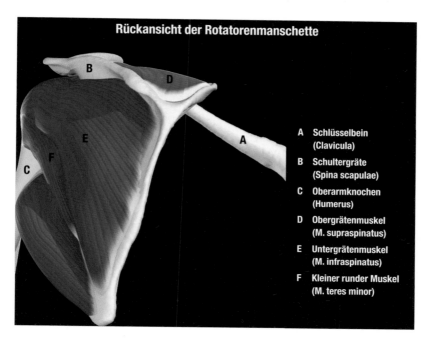

Rückansicht der Rotatorenmanschette

A Schlüsselbein
(Clavicula)

B Schultergräte
(Spina scapulae)

C Oberarmknochen
(Humerus)

D Obergrätenmuskel
(M. supraspinatus)

E Untergrätenmuskel
(M. infraspinatus)

F Kleiner runder Muskel
(M. teres minor)

den die Sehnen im Schultergelenk verletzt. Möglicherweise sind Sie auch auf den ausgestreckten Arm gefallen.

Wie man es behandelt

Die Behandlung richtet sich nach der Schwere der Verletzung. Notfalls müssen Sie operiert werden. Gewöhnlich behandelt man jedoch nur die Symptome und lässt die Schulter von allein ausheilen. Ruhen Sie bei starken Schmerzen und legen Sie zur Linderung der Schwellung mindestens einmal am Tag einen Eisbeutel auf. In einem schweren Fall brauchen Sie zum Abklingen der Schwellung vielleicht eine Cortisonspritze und Physiotherapie zur Wiederherstellung der Beweglichkeit. Sobald der Schmerz nachlässt, sollten Sie Übungen zur Kräftigung der Schultermuskulatur durchführen.

Wie man vorbeugt

Achten Sie darauf, dass Ihre Schultern für Ihren Sport kräftig genug sind. Führen Sie die Übungen auf S. 72 – 78 durch und variieren Sie das Training, um die Rotatorenmanschetten- und Schulterblattmuskulatur aufzubauen.

Schulter-Workout

Ihre Schultern sind die beweglichsten Gelenke im Körper. Tägliche Aktivitäten, bei denen Sie mit dem Arm nach hinten oder über Kopf greifen müssen, und Sportarten wie Tennis, Schwimmen und Skifahren beruhen darauf, dass die Schultern sich in alle Richtungen bewegen können. Die bedauerliche Begleiterscheinung dieser großen Beweglichkeit ist eine inhärente Gelenkinstabilität – worin die Ursache vieler Schulterverletzungen zu suchen ist. Kräftigen Sie mit dem folgenden Training Ihre Schultermuskulatur und die stützenden Gelenke, Sehnen und Bänder. Wärmen Sie sich mit einem 5- bis 10-minütigen Herz-Kreislauf-Training auf. Machen Sie anschließend die Dehnübungen zur Verbesserung der Beweglichkeit Ihres Schultergelenks, bevor Sie die Kräftigungsübungen durchführen.

DEHNUNG DER HINTEREN SCHULTER

Ziel: hintere Gelenkkapsel, hinterer Deltamuskel, Rotatorenmanschette

Grätschen Sie die Beine schulterbreit und legen Sie den linken Arm quer über den Körper. Halten Sie den linken Arm gestreckt; der Daumen zeigt Richtung Boden. Legen Sie das rechte Handgelenk über den linken Ellenbogen. Ziehen Sie den linken Arm behutsam zum Körper, bis Sie eine Dehnung hinten in der linken Schulter spüren. Halten Sie die Position 4 – 5 tiefe Atemzüge oder 20 – 30 Sekunden lang. Führen Sie 2 Sets pro Arm durch.

DEHNUNG DER BRUST-MUSKULATUR ÜBERECK

Ziel: M. pectoralis major, M. pectoralis minor

Stellen Sie sich mit dem Gesicht vor einen schmalen Durchgang oder in eine Ecke und heben Sie Ihre Arme parallel zum Boden. Winkeln Sie Ihre Ellenbogen zu einem «L» an und legen Sie die Unterarme jeweils an eine Wand. Gehen Sie 2 oder 3 Schritte rückwärts und stellen Sie die Füße zusammen. Neigen Sie sich nach vorn, bis Sie eine Dehnung im Brustkorb spüren. Halten Sie die Position 4 – 5 tiefe Atemzüge oder 20 – 30 Sekunden lang. Führen Sie 2 Sets durch.

DEHNUNG DES ARMSTRECKERS

Ziel: M. triceps, untere Schulterkapsel, Rotatorenmanschette

Grätschen Sie die Beine schulterbreit und beugen Sie den rechten Arm über den Kopf. Ergreifen Sie mit dem linken Arm Ihren rechten Ellenbogen und ziehen Sie ihn vorsichtig zur Seite, bis Sie eine Dehnung hinten im rechten Arm (der Trizeps-Gegend) und/oder der hinteren Schulter spüren. Halten Sie die Position 4 – 5 tiefe Atemzüge oder 20 – 30 Sekunden lang. Führen Sie 2 Sets pro Arm durch.

ABGEWANDELTE ARMHEBUNGEN ZUR SEITE

Ziel: Mittlerer Deltamuskel, Rotatorenmanschette

1 Grätschen Sie die Füße schulterbreit und gehen Sie leicht in die Knie. Halten Sie ein paar Hanteln, die Handteller zeigen nach innen.

2 Heben Sie die Arme gestreckt zur Seite, sodass die Handteller zum Boden zeigen.

3 Während Sie den linken Arm auf Schulterhöhe weiter gestreckt zur Seite halten, senken Sie den rechten Arm langsam in die Ausgangsposition zurück.

4 Heben Sie den rechten Arm langsam wieder auf Schulterhöhe an. Machen Sie 2 Sets mit 8 Wiederholungen pro Arm.

ABGEWANDELTE ARMHEBUNGEN NACH VORN

Ziel: Vorderer Deltamuskel, Brustmuskulatur, Rotatorenmanschette

1. Grätschen Sie die Beine schulterbreit und gehen Sie leicht in die Knie. Halten Sie ein paar Hanteln vor den Körper; die Handteller zeigen zu den Oberschenkeln.

2. Heben Sie die Arme gestreckt vor den Körper; die Handteller zeigen in Richtung Boden.

3. Während der linke Arm weiter auf Schulterhöhe vor dem Körper ausgestreckt bleibt, senken Sie langsam den rechten Arm, bis er vor dem Oberschenkel ruht. Heben Sie ihn anschließend wieder auf Schulterhöhe. Führen Sie 2 Sets mit 8 Wiederholungen pro Arm durch.

«V»-HEBUNGEN

Ziel: Vorderer und mittlerer Deltamuskel, Brustmuskulatur, Rotatorenmanschette

1. Grätschen Sie die Beine schulterbreit und gehen Sie leicht in die Knie. Halten Sie wie abgebildet die Hanteln mit den Handflächen nach oben so, dass sie sich vorn fast berühren.

2. Heben und senken Sie Ihren Arm langsam in einer «V»-Stellung; halten Sie die Arme während der ganzen Bewegung gestreckt. Führen Sie 2 Sets mit 8 Wiederholungen pro Arm durch.

«A»-, «T»- und «Y»- HEBUNGEN

Ziel: Oberer, mittlerer und unterer Kapuzenmuskel, Rautenmuskeln, Rotatorenmanschette

1 Legen Sie sich bäuchlings auf den Boden mit einem Handtuch unter der Stirn. Beginnen Sie mit gestreckten Beinen, die Zehenspitzen stehen auf dem Boden, die Arme liegen an den Seiten mit den Handflächen nach unten.

2 Heben Sie die Arme so weit an, wie es Ihnen problemlos möglich ist; strecken Sie sie dabei so, dass sie ein «A» bilden. Kehren Sie in die Ausgangsposition zurück. Führen Sie 2 Sets mit 15 Wiederholungen durch.

3 Strecken Sie Ihre Arme mit den Handflächen nach vorn so aus, dass Sie ein «T» bilden.

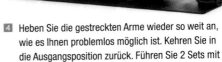

4 Heben Sie die gestreckten Arme wieder so weit an, wie es Ihnen problemlos möglich ist. Kehren Sie in die Ausgangsposition zurück. Führen Sie 2 Sets mit 15 Wiederholungen durch.

5 Strecken Sie die Arme nach vorn, die Handflächen zeigen zueinander, die Arme bilden ein «Y».

6 Heben Sie die gestreckten Arme wieder so weit an, wie Sie können. Kehren Sie in die Ausgangsposition zurück. Führen Sie 2 letzte Sets mit 15 Wiederholungen durch.

ABGEWANDELTE LATZÜGE ZUR BRUST

Ziel: Breiter Rückenmuskel, hinterer Deltamuskel, mittlerer Kapuzenmuskel, Rautenmuskel

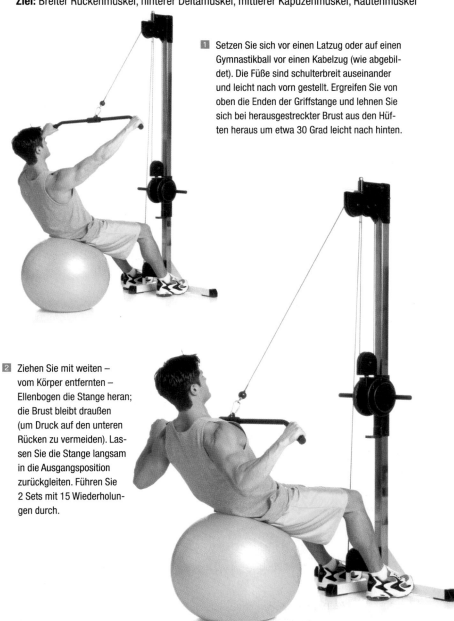

◻ Setzen Sie sich vor einen Latzug oder auf einen Gymnastikball vor einen Kabelzug (wie abgebildet). Die Füße sind schulterbreit auseinander und leicht nach vorn gestellt. Ergreifen Sie von oben die Enden der Griffstange und lehnen Sie sich bei herausgestreckter Brust aus den Hüften heraus um etwa 30 Grad leicht nach hinten.

◻ Ziehen Sie mit weiten – vom Körper entfernten – Ellenbogen die Stange heran; die Brust bleibt draußen (um Druck auf den unteren Rücken zu vermeiden). Lassen Sie die Stange langsam in die Ausgangsposition zurückgleiten. Führen Sie 2 Sets mit 15 Wiederholungen durch.

AUSSENROTATION IN DER SEITENLAGE

Ziel: Rotatorenmanschette (vor allem M. supraspinatus und M. teres minor)

1 Legen Sie sich auf die rechte Seite; die rechte Hand stützt
den Kopf. Legen Sie ein kleines Handtuch unter den linken
Ellenbogen, um den Arm leicht vom Körper zu entfernen
und damit die Durchblutung der Rotatorenmanschette
zu fördern. Halten Sie eine Hantel in der linken Hand und
winkeln Sie den Ellenbogen an, sodass die Hantel eine
Linie mit dem Bauchnabel bildet.

2 Ohne Schwung zu holen, heben Sie den linken Arm aus
dem Ellenbogen heraus auf Hüfthöhe. Kehren Sie in die
Ausgangsposition zurück. Führen Sie 2 Sets pro Arm bis
zur Ermüdung durch – bis Sie ein leichtes Brennen in
den Schultermuskeln spüren.

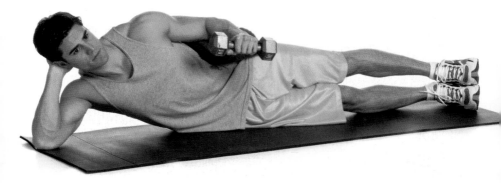

Ellenbogen-, Unterarm-, Hand-
gelenk- und Handbeschwerden

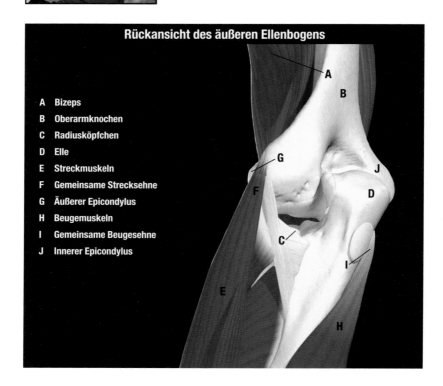

Rückansicht des äußeren Ellenbogens

A Bizeps
B Oberarmknochen
C Radiusköpfchen
D Elle
E Streckmuskeln
F Gemeinsame Strecksehne
G Äußerer Epicondylus
H Beugemuskeln
I Gemeinsame Beugesehne
J Innerer Epicondylus

Ellenbogenschmerzen sind oft ein Hinweis auf eine Muskulaturschwäche des Unterarms, Handgelenks oder der Hand. Wenn Ihr Ellenbogen die Arbeit übernimmt, die das Handgelenk leisten sollte, können Sehnenrisse und geschwollenes Nervengewebe die Folge sein, deren Heilung wochenlang dauert. Sportler, die die Lenkstange, den Ball oder Schläger fest greifen müssen, sollten auf die Entwicklung von Kraft und Beweglichkeit in den Händen und Handgelenken achten. Wenn Fachleute raten, sich beim Fallen rund zu machen und abzurollen, ist das kein Scherz. Wer versucht, den Fall mit dem Arm und der Hand zu stoppen, riskiert nicht nur eine Zerrung oder eine Fraktur des Handgelenks und Ellenbogens, sondern potenziell auch eine wochenlange Heilung, bei der das Gelenk mit Hilfe einer Schiene oder durch Gips ruhig gestellt wird. Wenn Sie einen Sport wie Ski- und Snowboardfahren treiben, bei dem Fallen dazugehört, üben Sie die richtige Falltechnik, um Ellenbogen, Unterarme, Handgelenke und Hände zu schonen.

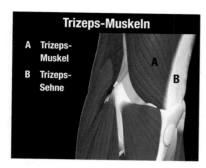

Trizeps-Muskeln

A Trizeps-Muskel

B Trizeps-Sehne

GOLFERELLENBOGEN

Woran Sie es merken

Der Knochen auf der Innenseite des Ellenbogens ist angeschwollen und tut weh. Sie haben Schmerzen beim Auf- und Zuschrauben von Gläsern und bei Ihrem Lieblingssport, wie Golf, Softball oder Tennis.

Wie es dazu kommt

Beim Golfspielen wurde Ihr Schläger mitten im Schlag abrupt gestoppt, weil Sie den Rasen, tiefen, nassen Sand oder eine versteckte Wurzel getroffen haben. Vielleicht üben Sie auch häufig Sportarten aus, die wiederholte Schwing- oder Wurfbewegungen erfordern. In beiden Fällen kommt es zur Zerrung der Beugesehne, die die Innenseite des Ellenbogens (den inneren Epicondylus) mit dem Unterarm verbindet. Das führt mit der Zeit zu kleinen Sehnenrissen.

Wie man es behandelt

Kühlen Sie die Verletzung und nehmen Sie zur Symptombehandlung nichtsteroidale, entzündungshemmende Medikamente. Treiben Sie bis zur Heilung der Sehne einige Wochen lang einen anderen Sport. Verbessern Sie in der Zwischenzeit die Beweglichkeit des Handgelenks und Unterarms mit den Dehnübungen auf S. 91. Kräftigen Sie die Muskeln im Unterarm und Handgelenk mit Hilfe der Übungen auf S. 92 – 94. Es wäre auch kein Fehler, für Ihre Schwungtechnik einen Golflehrer zu Rate zu ziehen.

Wie man vorbeugt

Versuchen Sie nicht, sich beim Golf oder ähnlichen Sportarten zu schnell zu steigern. Beziehen Sie zur Kräftigung der Handgelenk- und Unterarmmuskulatur die Übungen auf S. 92 – 94 in Ihr Workout mit ein. Achten Sie auf Schmerzen beim Spielen und hören Sie auf, sobald die Sehnen im Ellenbogen protestieren.

TENNISELLENBOGEN

Woran Sie es merken

Der knöcherne seitliche Vorsprung am Ellenbogen (der äußere Epicondylus) tut weh und ist geschwollen. Der Schmerz nimmt zu, wenn Sie etwas aufheben, das Handgelenk drehen oder jemandem die Hand geben. Eventuell stellt sich ein schießender Schmerz entlang der Strecksehnen ein.

Wie es dazu kommt

Das Halten und Schwingen eines Tennis- oder Golfschlägers beansprucht die Unterarmsehnen, besonders jene, die das Handgelenk heben und strecken. Ist Ihre Unterarmmuskulatur schwach entwickelt oder haben Sie keine gute Technik, müssen die Sehnen die Hauptarbeit beim Schwingen leisten.

die Sehnen die Hauptarbeit beim Schwingen leisten.

Mit der Zeit kommt es zu kleinen Sehnenrissen. Prallt Ihr Golfschläger mit Gewalt auf eine Baumwurzel, kann sich möglicherweise ein Tennisellenbogen in Ihrem nichtdominanten Arm entwickeln – ein ähnlicher Verletzungsmechanismus wie bei einer schlechten Rückhand im Tennis. Auch beim Training mit zu hohen Gewichten oder zu vielen Wiederholungen in schlechter Technik im Fitness-Studio kann ein Tennisarm das Ergebnis sein. Manchmal reicht ein zufälliger Stoß am Ellenbogen aus, um den Prozess in Gang zu setzen.

Wie man es behandelt

Es gibt viele verschiedene Behandlungsmethoden. Beginnen Sie immer mit den grundsätzlichen Maßnahmen: Ruhigstellen, Eisbeutel, entzündungshemmende Medikamente und Massage. Bei wiederkehrendem oder chronischem Schmerz sollten Sie Akupunktur, Physiotherapie oder das Tragen einer Ellenbogenbandage erwägen. Einige Ärzte meinen, dass eine Cortisonspritze (siehe S. 84) eine monatelange Schmerzmitteleinnahme ersetzt. Eine Operation kommt nur als letzter Ausweg in Betracht.

Wie man vorbeugt

Verbessern Sie die Beweglichkeit und Kraft Ihrer Unterarmmuskulatur mit den Dehnungen und Übungen ab S. 91. Sorgen Sie vor allem dafür, gut in Form zu bleiben, ganz gleich, welchen Sport Sie treiben.

ULNARNEUROPATHIE

Woran Sie es merken

Im Ringfinger und kleinen Finger treten Schmerzen, Kribbeln und Taubheit auf. Obwohl der kleine Finger schmerzt, rührt das Problem in Wirklichkeit vom Ellenbogen her. Beim Stoßen des Musikantenknochens – der Stelle, wo der Ellennerv am Ellenbogengelenk entlangläuft –, strahlt der Schmerz bis in die Spitze des kleinen Fingers aus. Vielleicht haben Sie auch Schmerzen und eine Schwellung an der Innenseite des Ellenbogens in der Nähe des Musikantenknochens.

Wie es dazu kommt

Durch einen Schlag auf die Innenseite des Ellenbogens oder eine Überdehnung wurde der Ellennerv gedehnt und gereizt, der an der Innenseite des Ellenbogens bis zur Hand verläuft und dafür sorgt, dass Sie den kleinen Finger spüren und bewegen können. Das Gewebe um den Nerv schwillt an und bewirkt Kribbeln oder Taubheit im kleinen Finger.

Wie man es behandelt

Nehmen Sie eine Auszeit von dem Sport, bei dem Sie sich verletzt haben. Im Gegensatz zu Ihnen müssen Profi-Sportler bei einer Ulnarneuropathie, die nicht zurückgeht, operiert werden. Sie müssen Ihren Sport etwa zwei Wochen bis einen Monat aufgeben, während der Ellennerv heilt. Um den Nerv nicht zu reizen, können Sie in der Zeit eine Manschette tragen.

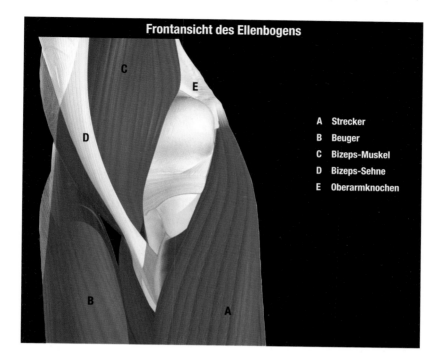

Frontansicht des Ellenbogens

A Strecker
B Beuger
C Bizeps-Muskel
D Bizeps-Sehne
E Oberarmknochen

Wie man vorbeugt

Achten Sie auf Ihre Haltung und belasten Sie die Innenseite des Ellenbogens möglichst nicht. Verändern Sie häufig die Handposition auf dem Lenker oder tragen Sie bei häufigem Fahrradfahren gepolsterte Handschuhe, um die Vibration zu dämpfen.

ELLENBOGENFRAKTUR

Woran Sie es merken

Der Schmerz ist besonders am oberen Ende des Ellenbogenknochens lokalisiert. Wahrscheinlich können Sie Ihr Handgelenk kaum drehen, wie Sie es beispielsweise beim Öffnen eines Türknaufs täten. Aufgrund der starken Schwellung können Sie unter Umständen nicht den Arm strecken.

Wie es dazu kommt

Die Speiche – der Knochen, der vom Ellenbogen zur Daumenseite des Handgelenks verläuft – bricht, wenn Sie auf den ausgestreckten Arm fallen oder ausrutschen.

Wie man es behandelt

Durch Röntgen wird festgestellt, ob die Speiche gebrochen ist – und wenn ja, wie kompliziert der Bruch ist. Der Knochen kann bloß angebrochen oder an verschiedenen Stellen gebrochen sein. Je nach Kompliziertheit und Lage des Bruchs müssen Sie mehrere Wochen lang einen Gips tragen. Sie werden erst nach Abklingen des Schmerzes mit der Rehabilitation beginnen können.

Wie man vorbeugt

Tragen Sie Ellenbogenschützer und fallen Sie möglichst nicht.

SCHMERZ IM HINTEREN ELLENBOGEN

Woran Sie es merken

Der hintere Teil des Ellenbogens tut weh, besonders wenn Sie den Ellenbogen gerade machen oder komplett durchstrecken wollen. Die Schwellung kann so stark sein, dass Sie den Arm nicht gerade machen können. Beim Werfen schmerzt der Ellenbogen im Augenblick des Loslassens.

Wie es dazu kommt

Ein energisches Durchstrecken des Ellenbogens mehrere hundert Male beim Werfen kann eine Gelenkschwellung hervorrufen.

Wie man es behandelt

Eine Kombination aus Übungen und Physiotherapie kann den Schmerz lindern. Mit dem Abklingen der Entzündung sollte auch der Schmerz nachlassen. Vermeiden Sie während der Heilung ein komplettes Durchstrecken des Arms.

Wie man vorbeugt

Schrauben Sie alle Aktivitäten zurück, die Schmerzen bereiten, und stärken Sie die Handgelenk- und Unterarmmuskulatur mit den Übungen auf S. 92 – 94. Achten Sie auf Ihre Wurftechnik. Bei Schmerzen an der Innenseite des Ellenbogens in der Nähe des Musikantenknochens kommt es beim Werfen zur Überkompensation.

CORTISONSPRITZEN

Wenn Ihr Arzt Ihnen eine Cortisonspritze empfiehlt, meint er damit Folgendes: Cortison ist ein hochwirksames Medikament, das Schwellungen in verletzten Gelenken und Geweben zum Abklingen bringt. Dazu wird es direkt in den Bereich um die geschwollenen Sehnen und Bänder injiziert. Ein Nachlassen der Schwellung lindert den Schmerz und kann die Heilung beschleunigen, sodass Sie Ihren Sport schneller wieder ausüben können. So weit die gute Nachricht.

Die schlechte Nachricht ist, dass Cortison nicht sofort wirkt. Tatsächlich kann es zu einem cortisonbedingten Aufflackern der Entzündung kommen, bei dem der Schmerz einen Tag nach der Injektion stärker wird. Nach mehreren Tagen bis hin zu einer Woche lässt der Schmerz deutlich nach. In der Zwischenzeit müssen Sie die verletzte Stelle weiter kühlen, hochlagern und ruhig stellen.

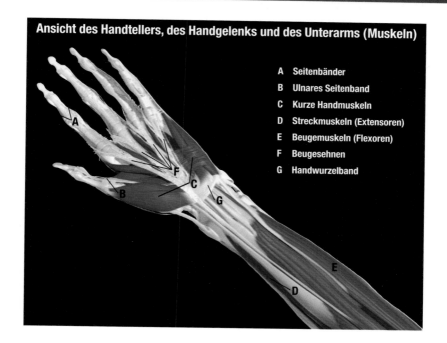

Ansicht des Handtellers, des Handgelenks und des Unterarms (Muskeln)

A Seitenbänder
B Ulnares Seitenband
C Kurze Handmuskeln
D Streckmuskeln (Extensoren)
E Beugemuskeln (Flexoren)
F Beugesehnen
G Handwurzelband

KARPALTUNNELSYNDROM

Woran Sie es merken

Sie haben Schmerzen im Handballen am Daumengrundgelenk, Schmerzen und Taubheitsgefühle im Daumen, in den ersten drei Fingern der Hand oder im Unterarm. Diese nehmen nachts zu, weil das Handgelenk beim Schlafen erschlafft, was eine Erhöhung des Drucks auf den Mittelnerv (Nervus medianus) bewirkt, der vom Unterarm durch einen «Tunnel» im Handgelenk in die Hand läuft. Es kommt zu Kribbeln und Schmerzen, den Kennzeichen des Karpaltunnelsyndroms. Die Symptome können so schlimm werden, dass Sie morgens die Hände schütteln müssen, um Gefühl in die Finger zu bekommen. Bei über mehrere Monate anhaltenden Beschwerden ohne Behandlung können Sie beim Halten von Gegenständen Mühe haben; die Hände werden kälteempfindlicher.

Wie es dazu kommt

Nicht nur häufige Computerarbeit führt zum Karpaltunnelsyndrom. Jede wiederholte Tätigkeit, bei der die Handgelenke und Unterarme über lange Zeit starr gehalten werden – beim Radfahren, Racketball oder Tennis –, kann diese Beschwerden auslösen. Druck auf den Mittelnerv entsteht, wenn Sie sich zu lange abstützen, etwas zu stark festhalten oder andere wiederholte Bewegungen ausführen, wie Tippen, bei denen sich das Handgelenk in einer ungünstigen Stellung befindet. Bei wieder-

Ansicht des Handtellers, des Handgelenks und des Unterarms (Knochen)

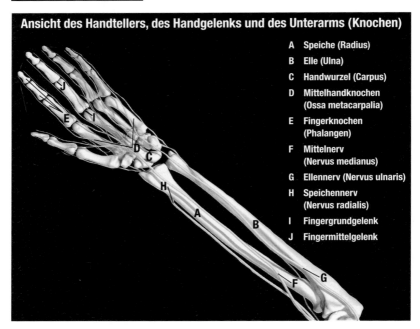

A   Speiche (Radius)

B   Elle (Ulna)

C   Handwurzel (Carpus)

D   Mittelhandknochen
    (Ossa metacarpalia)

E   Fingerknochen
    (Phalangen)

F   Mittelnerv
    (Nervus medianus)

G   Ellennerv (Nervus ulnaris)

H   Speichennerv
    (Nervus radialis)

I   Fingergrundgelenk

J   Fingermittelgelenk

holter Quetschung des Nervs über Wochen oder Monate kann er sich entzünden. Das Gewebe um den Nerv kann auch anschwellen.

Wie man es behandelt

Erstens: Stellen Sie zunächst die Tätigkeit ein, bei der Sie sich verletzt haben. Zweitens: Tragen Sie nachts eine Bandage zur Fixierung des Handgelenks. Bessern sich die Beschwerden danach nicht, kann der Arzt Cortison in den Bereich des Karpaltunnels injizieren oder sogar eine Operation empfehlen. Der Arzt wird Ihnen gegen die Symptome auch Vitamin B 6 oder ein nichtsteroidales Schmerzmittel verordnen.

Wie man vorbeugt

Vermeiden Sie Positionen, die zu Symp-

tomen führen. Korrigieren Sie die Handgelenkposition am Computer und wechseln Sie öfter die Griffposition beim Radfahren. Gehen Sie möglichst früh gegen die Symptome vor.

VERSTAUCHTES FINGERGELENK

Woran Sie es merken

Der Finger ist geschwollen, tut weh oder hat eine unnatürliche Stellung. In diesem Fall ist er vielleicht gebrochen oder ausgerenkt.

Wie es dazu kommt

Bei einer Verstauchung sind die Sehnen und Bänder des Fingergrund- oder -mittelgelenks verletzt. Bei einer Verrenkung ist der Knochen aus der Gelenkkapsel gesprungen

oder -mittelgelenks verletzt. Bei einer Verrenkung ist der Knochen aus der Gelenkkapsel gesprungen

Wie man es behandelt

Einen schmerzenden Finger kann man beim Spielen gewöhnlich ignorieren. Anschließend sollten Sie den Finger kühlen und ruhig stellen, indem Sie ihn mit einem Verband am nächsten Finger fixieren. Bei anhaltenden oder zunehmenden Schmerzen und Steifheit länger als 48 Stunden sollten Sie den Finger röntgen lassen. Eventuell ist der Fingerknochen angebrochen oder gesplittert.

Wie man vorbeugt

Eine Verstauchung vermeiden Sie, indem Sie den Finger aus der Schusslinie halten.

VERSTAUCHTES HANDGELENK

Woran Sie es merken

Das gesamte Handgelenk tut weh und lässt sich kaum bewegen; der Gelenkrücken ist geschwollen. Mit zunehmender Schwellung kann auch die Haut druckempfindlich werden. Beim Bewegen ist eventuell ein Knacken zu hören.

Wie es dazu kommt

Die Handgelenksknochen sind durch Bänder untereinander und mit den Hand- und Unterarmknochen verbunden. Jede gewaltsame Bewegung – ein Sturz, ein Angriff oder der Aufprall eines Balls – kann zur Überdehnung oder einem Bänderriss führen.

Wie man es behandelt

Kühlen Sie die Verletzung alle vier bis sechs Stunden zwanzig Minuten lang. Bandagieren Sie das Handgelenk oder tragen Sie eine Schiene, um es einige Wochen ruhig zu stellen. Vermeiden Sie in dieser Zeit Kontaktsportarten.

Wie man vorbeugt

Tragen Sie Handgelenkschützer und fallen Sie tunlichst nicht auf die Hand.

ZERRUNG DES ULNAREN SEITENBANDES

Woran Sie es merken

Sie haben Schmerzen am ulnaren Seitenband, dem Handballen am Daumengrundgelenk. Die Stelle ist geschwollen. Vielleicht können Sie nicht den Daumen bewegen oder Gegenstände halten. In besonders schweren Fällen fühlt sich der Daumen im Gelenk locker an.

BRUCH ODER VERSTAUCHUNG?

Auch ein vermeintlich verstauchter oder verrenkter Finger kann gebrochen sein. Der Kannst-du-ihn-bewegen?-Test ist nicht so zuverlässig wie eine Röntgenaufnahme. Machen Sie stattdessen eine Faust. Wenn einer der Finger auf den Finger nebenan zeigt oder sogar quer steht, fahren Sie ins Krankenhaus. Er ist vermutlich gebrochen.

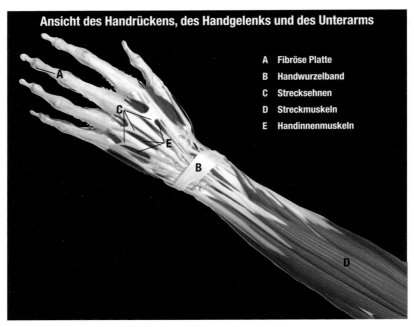

Ansicht des Handrückens, des Handgelenks und des Unterarms

A Fibröse Platte
B Handwurzelband
C Strecksehnen
D Streckmuskeln
E Handinnenmuskeln

Wie es dazu kommt

Bänder geben dem Knöchel am Daumengrundgelenk Halt. Bei einem Sturz kann der Daumen umknicken, was zum Sehnenriss neben dem Zeigefinger führt. In besonders schweren Fällen kommt es zum Sehnenabriss. Skifahrer leiden häufig an der Zerrung des ulnaren Kollateralbandes, weil sich der Daumen beim Fallen leicht in den Skistöcken verfängt.

Wie man es behandelt

Kühlen Sie das gezerrte Band in den ersten Tagen alle vier bis sechs Stunden zwanzig Minuten lang, um die Schwellung zu lindern, und nehmen Sie ein nichtsteroidales, entzündungshemmendes Medikament. Bei einer leichten Verletzung, bei der sich das Gelenk nicht locker anfühlt, sollten diese Maßnahmen genügen. Bei einer schweren Verletzung brauchen Sie unter Umständen eine Schiene oder Gips; in Extremfällen muss sogar operiert werden.

Wie man vorbeugt

Tragen Sie zum Schutz der Daumen Handschuhe mit eingearbeiteten Platten.

ZERRUNG DER STRECKSEHNE

Woran Sie es merken

Sie haben starke Schmerzen im Fingerendgelenk. Der verletzte Finger ist gebogen und lässt sich nicht gerade machen. Die Fingerkuppe ist geschwollen und druckempfindlich.

Wie es dazu kommt

Das Fingerendgelenk wurde gewaltsam in Richtung Handteller verschoben. Die Strecksehne, die dafür sorgt, dass Sie den Finger gerade machen können, ist vom Knochen gerissen. In besonders schweren Fällen ist sogar ein Stück Knochen mit abgesplittert.

Wie man es behandelt

Der verletzte Finger muss sechs bis zwölf Wochen geschient werden. Danach sollten Sie den Finger wieder strecken können. Vielfach bleibt eine leichte, doch dauerhafte Krümmung des verletzten Gelenks zurück. Ohne Schiene droht eine Deformation des Fingers. Darum ist sofortige ärztliche Versorgung wichtig.

Wie man vorbeugt

Die beste Methode ist Aufpassen und die richtige Technik bei Sportarten wie Hockey, Softball oder Cricket.

ÜBERLASSEN SIE DIE DIAGNOSE IHREM ARZT

Es kann riskant sein, einen Bruch des Handgelenks selbst zu diagnostizieren, denn Symptome, die auf einen Bruch hinzudeuten scheinen – starker Schmerz und ein Anschwellen mit Bewegungseinschränkung –, könnten in Wirklichkeit von einer leichteren Verletzung herrühren. Andererseits sieht man einige Frakturen nicht sofort – nicht einmal beim Röntgen.

Bei einem daumenseitigen Bruch des Handgelenks wird es druckempfindlich sein und daumenseitig anschwellen. Selbst beim Röntgen ist ein Bruch des Kahnbeins (Os scaphoideum) unter Umständen nicht erkennbar. In diesem Fall ordnet der Arzt vielleicht eine weitere Röntgenaufnahme nach einer Woche oder zehn Tagen an. Leider kann sich die Heilung im Gips bis zu drei Monate hinziehen, weil das Kahnbein langsam heilt.

Was nach einer Handgelenkfraktur aussieht, könnte auch ein gebrochener Unterarmknochen sein – die distale Speiche.

Was lernt man daraus? Wenn Sie sich nicht absolut sicher sind, ist es empfehlenswert, die Diagnose dem Arzt zu überlassen.

Ellenbogen-, Unterarm-, Hand-gelenk- und Hand-Workout

Alltägliche Aktivitäten – Heben oder mehrstündiges Tippen – können die Gelenke und Muskeln der Ellenbogen, Unterarme, Handgelenke und Hände stark belasten. Durch permanente Überbeanspruchung können überlastungsbedingte Verletzungen, wie der Tennisarm und das Karpaltunnelsyndrom, entstehen. Da es sich um kleine Muskeln handelt, sollte ein Training gegen Widerstand mit leichten Gewichten durchgeführt werden, um auf allgemeine Ausdauer und Durchhaltevermögen statt auf Größe hinzuarbeiten. Führen Sie nach einer 5- bis 10-minütigen Aufwärmphase mit leichtem Aerobic die Beweglichkeitsübungen durch. Dadurch bauen Sie Verspannungen ab, die von längeren Entzündungen im Zusammenhang mit Schmerzen des hinteren Ellenbogens, dem Tennisarm und dem Golferellenbogen stammen. Führen Sie anschließend die Kräftigungsübungen in der angegebenen Reihenfolge durch.

Nehmen Sie sich Zeit, Ihre Muskeln mit 10 – 20 Minuten leichtem Jogging und Beweglichkeitsübungen aufzuwärmen, bevor Sie ins Match gehen – so bleiben Sie frei von Verletzungen.

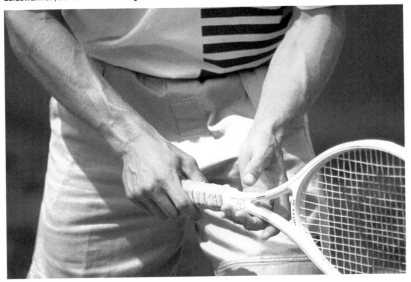

DEHNUNG DES HAND-GELENK-/HANDBEUGERS
Ziel: Handgelenk- und Handbeuger

Stehen Sie aufrecht und strecken Sie die Arme vor den Körper. Beugen Sie Ihr rechtes Handgelenk, sodass der Handteller nach außen zeigt. Ziehen Sie die rechte Hand mit der linken Hand behutsam nach hinten, bis Sie die Dehnung an der Innenseite des rechten Unterarms spüren. Halten Sie die Position 5 tiefe Atemzüge oder 20 – 30 Sekunden lang. Führen Sie 2 Sets pro Hand durch.

DEHNUNG DES HAND-GELENK-/HANDSTRECKERS
Ziel: Handgelenk- und Handstrecker

Stehen Sie aufrecht und halten Sie die Arme gestreckt vor den Körper. Drehen Sie den rechten Daumen in Richtung Boden, sodass der Handteller nach innen zeigt. Ziehen Sie die rechte Hand mit der linken Hand behutsam in Richtung Körper, bis Sie die Dehnung oben im rechten Unterarm spüren. Halten Sie die Position 5 tiefe Atemzüge oder 20 – 30 Sekunden lang. Führen Sie 2 Sets pro Hand durch.

BIZEPS-CURL

Ziel: Bizeps, Handstrecker

1. Grätschen Sie die Beine schulterbreit, gehen Sie leicht in die Knie und halten Sie ein paar Hanteln; die Handteller zeigen in Richtung Oberschenkel.

2. Führen Sie mit den Hanteln eine Dreiviertelkreisbewegung durch, sodass die Handteller gegen die Decke zeigen. Kehren Sie in die Ausgangsposition zurück. Führen Sie 2 Sets mit 15 Wiederholungen durch.

PROFI-TIPP

Die Kräftigung des Bizeps, der von den Schultern bis zum Ellenbogengelenk verläuft, hilft, Stabilität in den Gelenken, Sehnen und Bändern des Ellenbogens zu entwickeln.

WRISTROLLER

Ziel: Handgelenk und Unterarmstrecker

1 Grätschen Sie die Beine schulterbreit; die Arme sind nach vorn gestreckt. Halten Sie einen abgerollten Wristroller (das Gewicht sollte sich in Bodennähe befinden).

2 Halten Sie die Arme parallel zum Boden, rollen Sie das Gewicht langsam auf, wobei die rechte Hand die Führung übernimmt. Machen Sie 3 Wiederholungen; anschließend 3 Wiederholungen, bei denen Ihre linke Hand führt.

HANDGELENK-CURLS

Ziel: Handgelenk- und Handbeuger (Handrücken), Handgelenk- und Handbeuger (Handteller)

1️⃣ Setzen Sie sich auf einen Gymnastikball und halten Sie eine Hantel in der rechten Hand mit dem Handteller nach unten, sodass sie sich vor Ihrem Knie befindet.

2️⃣ Indem Sie die linke Hand zum Abstützen nehmen, strecken Sie Ihr Handgelenk nach oben. Führen Sie 2 Sets mit 15 Wiederholungen pro Hand durch.

3️⃣ Um das Handgelenk und die Handbeugemuskeln zu trainieren, halten Sie die Hantel in der rechten Hand mit dem Handteller nach oben.

4️⃣ Während die linke Hand auf dem Unterarm liegt, strecken Sie Ihr rechtes Handgelenk nach oben. Führen Sie pro Hand 2 Sets mit 15 Wiederholungen durch.

Register

Über die Autoren

Dr. Brian Halpern ist Sportmediziner am Hospital for Special Surgery in New York. Er gehört zum Ärzteteam des New-York-Mets-Baseball-Teams und ist Vorsitzender der Foundation of the American Medical Society for Sports Medicine.

Marty Jaramillo ist Sportphysiotherapeut, Trainer und Spezialist für Kraft- und Ausdauertraining. Als ehemaliges Mitglied des medizinischen Teams der New-York-Knicks-Basketball-Mannschaft, der St. Johns University und der Olympischen Spiele 1996 ist er Begründer und Leiter der I.C.E. Sports Health Group im Sportclub / LA in New York.

Michelle Seaton schreibt medizinische Bücher.